LA REINE ÉTRANGLÉE

Maurice Druon est né à Paris en 1918. Etudes classiques. Lauréat du Concours général. Ecole des Sciences Politiques. Ecole de cavalerie de Saumur (1940).
Evadé de France pour rejoindre les Forces Françaises Libres, à Londres. Ecrit Le Chant des Partisans, avec Joseph Kessel (1943). Correspondant de guerre. Prix Goncourt en 1948 pour son roman Les Grandes Familles. Reçoit en 1966 le Prix de Monaco pour l'ensemble de son œuvre de romancier, d'essayiste et de dramaturge. Elu la même année à l'Académie française.

Second panneau de la célèbre fresque historique des *Rois Maudits*, et faisant suite au *Roi de Fer*, *La Reine étranglée* commence au lendemain même de la mort de Philippe le Bel.
Un prince brouillon, de faible caractère et de médiocre intelligence, Louis X Hutin, dont l'épouse Marguerite de Bourgogne est emprisonnée pour adultère, succède à un monarque exceptionnel.
Dès les premiers jours du règne, deux clans se forment, opposant la haute noblesse féodale aux ministres du roi défunt. Tandis que la chrétienté attend un pape et que le peuple meurt de faim, les rivalités, les intrigues, les complots vont déchirer la cour de France et conduire barons, légistes, prélats, banquiers, et le roi lui-même, au fond d'une impasse dont ils ne pourront sortir que par le crime.
L'action de *La Reine étranglée* entraîne le lecteur sur les routes du Moyen Age, de Saint-Denis en Avignon, de Paris à Naples, et de la forteresse de Château-Gaillard au gibet de Montfaucon.
La malédiction qui semble s'être abattue sur le royaume de France est-elle l'expression d'une aveugle colère divine, ou seulement la conséquence fatale des mauvaises actions humaines ?

ŒUVRES DE MAURICE DRUON

MAURICE DRUON

de l'Académie française

LES ROIS MAUDITS

II

La Reine étranglée

ROMAN HISTORIQUE

Nouvelle Édition

LE LIVRE DE POCHE

« *Toute l'histoire de ce temps est dans le combat à mort du légiste et du baron.* »

MICHELET.

JE TIENS A RENOUVELER MA VIVE
RECONNAISSANCE A MES COLLABO-
RATEURS PIERRE DE LACRETELLE,
GEORGES KESSEL, CHRISTIANE
GRÉMILLON, MADELEINE MARI-
GNAC, GILBERT SIGAUX, JOSÉ-
ANDRÉ LACOUR, POUR L'ASSIS-
TANCE PRÉCIEUSE QU'ILS M'ONT
DONNÉE PENDANT L'ÉLABORATION
DE CE VOLUME ; JE VEUX ÉGALE-
MENT REMERCIER LES SERVICES
DE LA BIBLIOTHÈQUE NATIONALE
ET DES ARCHIVES NATIONALES
POUR L'AIDE INDISPENSABLE AP-
PORTÉE A NOS RECHERCHES.

M. D.

SOMMAIRE

Troisième partie

LE PRINTEMPS DES CRIMES

PROLOGUE

Le *29 novembre 1314, deux heures après vêpres,
vingt-quatre chevaucheurs sous la livrée de France
sortaient au galop du château de Fontainebleau.
La neige blanchissait les chemins de la forêt ; le
ciel était plus sombre que la terre ; il faisait déjà
nuit, ou plutôt, par suite d'une éclipse de soleil,
il n'avait pas cessé de faire nuit depuis la veille.*

*Les vingt-quatre chevaucheurs ne prendraient
pas de repos avant le matin, et ils galoperaient
encore tout le lendemain et les journées suivantes,
qui vers la Flandre, qui vers l'Angoumois et la
Guyenne, qui vers Dole en Comté, qui vers Rennes
et Nantes, qui vers Toulouse, vers Lyon, Aigues-
Mortes, réveillant sur leurs routes baillis et sénéchaux, prévôts, échevins, capitaines, pour annoncer à chaque ville ou bourgade du royaume que
le roi Philippe IV le Bel était mort.*

*Dans chaque clocher, le glas se mettrait à re-
tentir ; une grande onde sonore, sinistre, irait
s'élargissant jusqu'à ce qu'elle ait atteint toutes
les frontières.*

Après vingt-neuf années d'un gouvernement sans faiblesse, le Roi de fer venait de trépasser, frappé au cerveau. Il avait quarante-six ans. Sa mort suivait, à moins de six mois, celle du garde des Sceaux Guillaume de Nogaret, et, à sept mois, celle du pape Clément V. Ainsi semblait se vérifier la malédiction lancée le 18 mars, du haut du bûcher, par le grand-maître des Templiers, et qui les citait tous trois à comparaître au tribunal de Dieu avant qu'un an soit écoulé.

Souverain tenace, hautain, intelligent et secret, le roi Philippe avait si bien empli son règne et dominé son temps qu'on eut l'impression, ce soir-là, que le cœur du royaume s'était arrêté de battre.

Mais les nations ne meurent jamais de la mort des hommes, si grands qu'ils aient été ; leur naissance et leur fin obéissent à d'autres raisons.

Le nom de Philippe le Bel ne serait guère éclairé dans la nuit des siècles que par les flammes des brasiers où ce monarque jetait ses ennemis, et par le scintillement des pièces d'or qu'il faisait rogner. On oublierait vite qu'il avait muselé les puissants, maintenu la paix autant qu'il était possible, réformé les lois, bâti des forteresses afin qu'on pût semer à l'abri, unifié les provinces, convié les bourgeois à s'assembler, veillé en toutes choses à l'indépendance de la France.

A peine sa main refroidie, à peine éteinte cette grande volonté, les intérêts privés, les ambitions déçues, les rancunes, les appétits d'honneurs, d'importance, de richesse, longtemps bridés ou contrariés, n'allaient pas manquer de se déchaîner.

Deux groupes s'apprêtaient à se combattre sans merci pour la possession du pouvoir : d'un côté, le clan de la réaction baronniale conduit par Charles de Valois, frère de Philippe le Bel ; de l'autre, le parti de la haute administration dirigé par Enguerrand de Marigny, coadjuteur du roi défunt.

Pour éviter le conflit qui couvait depuis des mois, ou pour l'arbitrer, il eût fallu un souverain fort. Or le prince de vingt-cinq ans qui accédait au trône, Louis de Navarre, paraissait aussi mal doué pour régner que mal servi par la fortune. Il arrivait précédé d'une réputation de mari trompé et du triste surnom de Hutin.

La vie de son épouse, Marguerite de Bourgogne, emprisonnée pour adultère, allait servir d'enjeu aux deux factions rivales.

Mais les frais de la lutte seraient également supportés par ceux qui ne possédaient rien, étaient sans action sur les événements, et n'avaient même pas de rêves à faire... De plus, cet hiver de 1314-1315 s'annonçait comme un hiver de famine.

PREMIÈRE PARTIE

DÉBUTS D'UN RÈGNE

I

CHATEAU-GAILLARD

Planté sur un éperon crayeux, au-dessus du bourg du Petit-Andelys, Château-Gaillard dominait, commandait toute la Haute-Normandie.

La Seine, à cet endroit, décrit une large boucle dans les prairies grasses ; Château-Gaillard surveillait dix lieues de fleuve, aval et amont.

Richard Cœur de Lion l'avait fait bâtir, cent vingt ans plus tôt, au mépris des traités, pour défier le roi de France. Le voyant achevé, dressé sur la falaise, à six cents pieds de hauteur, et tout blanc dans sa pierre fraîchement taillée, avec ses deux enceintes, ses ouvrages avancés, ses herses, ses créneaux, ses barbacanes, ses treize tours, son gros donjon, Richard s'était écrié :

« Ah ! Ceci me paraît un château bien gaillard. »

Et l'édifice ainsi avait reçu son nom.

Tout était prévu dans les défenses de ce gigantesque modèle d'architecture militaire, l'assaut, l'attaque frontale ou tournante, l'investissement, l'escalade, le siège, tout, sauf la trahison.

Sept ans seulement après sa construction, la forteresse tombait aux mains de Philippe Auguste, en même temps que celui-ci enlevait au souverain anglais le duché de Normandie.

Depuis lors, Château-Gaillard avait été utilisé moins comme place de guerre que comme prison. Le pouvoir y enfermait des adversaires dont la liberté était intolérable pour l'Etat, mais dont la mise à mort eût pu susciter des troubles, ou créer des conflits avec d'autres puissances. Qui franchissait le pont-levis de cette citadelle avait peu de chances de revoir le monde.

Les corbeaux tout le jour croassaient sous les toitures ; la nuit les loups venaient hurler jusqu'au pied des murs.

En novembre 1314, Château-Gaillard, ses remparts et sa garnison d'archers ne servaient qu'à garder deux femmes, l'une de vingt et un ans, l'autre de dix-huit, Marguerite et Blanche de Bourgogne, deux princesses de France, belles-filles de Philippe le Bel, décrétées de réclusion perpétuelle pour crime d'infidélité envers leurs époux.

C'était le dernier matin du mois, et l'heure de la messe.

La chapelle se trouvait dans la deuxième enceinte. Elle prenait assise sur la roche. Il y faisait sombre, il y faisait froid ; les murs, sans aucun ornement, suintaient.

Trois sièges seulement y étaient disposés, deux à gauche qu'occupaient les princesses, un à droite pour le capitaine de la forteresse, Robert Bersumée.

Derrière, les hommes d'armes se tenaient debout, alignés, montrant le même ennui, la même indifférence que s'ils avaient été rassemblés pour la corvée de fourrage. La neige qu'ils transportaient à leurs semelles fondait autour d'eux, en flaques jaunâtres.

Le chapelain tardait à commencer l'office. Dos à l'autel, il frottait ses doigts gourds, aux ongles ébréchés. Un imprévu, visiblement, perturbait sa pieuse routine.

« Mes frères, dit-il, il nous faut ce jour élever nos prières avec grand-ferveur et grand-solennité. »

Il s'éclaircit la voix et hésita, troublé par l'importance même de ce qu'il avait à annoncer.

« Messire Dieu vient de rappeler à lui l'âme de notre bien-aimé roi Philippe. C'est dure affliction pour tout le royaume... »

Les deux princesses tournèrent l'une vers l'autre leurs visages enserrés dans des béguins de grosse toile bise.

« Que ceux qui lui firent tort ou injure en aient pénitence au cœur, continua le chapelain ; que ceux qui lui gardaient grief en son vivant implorent pour lui la miséricorde dont chaque homme qui meurt, grand ou petit, a égal besoin devant le tribunal de Notre-Seigneur... »

Les deux princesses étaient tombées à genoux, courbant la tête pour cacher leur joie. Elles ne sentaient plus le froid, elles ne sentaient plus leur angoisse ni leur misère. Une immense onde d'espérance les parcourait ; et si, dans leur silence, elles s'adressaient à Dieu, c'était pour le remercier de les avoir délivrées de leur terrible beau-père. Depuis sept mois qu'on les avait enfermées à Château-Gaillard, le monde leur envoyait enfin une bonne nouvelle.

Les hommes d'armes, dans le fond de la chapelle, chuchotaient, s'agitaient, remuaient les pieds.

« Est-ce qu'on va donner à chacun de nous un sou d'argent ?

— Parce que le roi est mort ?

— Cela se fait, à ce qu'on m'a dit.

— Mais non, pas pour la mort ; pour le sacre du nouveau roi, peut-être bien.

— Et comment va-t-il s'appeler maintenant, le roi ?

— Est-ce qu'il va faire la guerre, qu'on change un peu de pays ?... »

Le capitaine de la forteresse se retourna et leur lança d'une voix rude :

« Priez ! »

La nouvelle lui posait des problèmes. Car l'aînée des prisonnières était l'épouse du prince qui devenait roi aujourd'hui. « Me voilà donc gardien de la reine de France », se disait le capitaine.

Ce ne fut jamais une situation aisée que d'être le geôlier de personnes royales. Robert Bersumée devait à ces deux condamnées qui lui étaient arrivées vers la fin d'avril, la tête rasée, dans des chariots tendus de noir et sous l'escorte de cent archers, les plus mauvais moments de sa vie. Deux femmes jeunes, trop jeunes pour qu'on n'eût pas pitié d'elles... belles, trop belles, même sous leurs informes robes de bure, pour qu'on pût se défendre d'être ému en les approchant, jour après jour, pendant sept mois... Qu'elles allassent séduire un sergent de la garnison, s'évader, ou bien que l'une d'elles se pendît ou gagnât une maladie mortelle, ou encore que leur survînt un retour de fortune, et ce serait toujours lui, Bersumée, qui serait en tort, réprimandé pour trop de faiblesse ou trop de rigueur ; et, dans tous les cas, cela ne lui vaudrait rien pour son avancement. Or, pas plus que ses prisonnières, il n'avait envie de terminer ses jours dans une citadelle battue des vents, mouillée des brumes, construite pour contenir deux mille soldats et qui n'en comptait plus que cent cinquante, au-dessus de cette vallée de Seine par où la guerre, depuis beau temps, ne passait plus.

L'office se déroulait ; mais personne ne pensait ni à Dieu ni au roi ; chacun ne pensait qu'à soi.

« *Requiem æternam dona ei Domine...* », entonnait le chapelain.

Dominicain en disgrâce, qu'un sort contraire et le goût du vin avaient fait échouer à cette desserte de prison, le chapelain, tout en chantant, se demandait si le changement de règne n'apporterait pas quelque modification dans sa propre destinée. Il résolut de ne plus boire pendant une semaine, pour mettre la Providence dans son jeu et se préparer à accueillir un événement favorable.

« *Et lux perpetua luceat ei* », répondait le capitaine.

En même temps il pensait : « On ne saurait me faire de reproches. J'ai appliqué les ordres que j'ai reçus, voilà tout ; mais je n'ai point infligé de sévices. »

« *Requiem æternam...*, reprenait le chapelain.

« — Alors on va point même nous bailler un setier de vin ? » chuchotait le soldat Gros-Guillaume au sergent Lalaine.

Quant aux deux prisonnières, elles se contentaient de remuer les lèvres, mais n'osaient prononcer le moindre répons ; elles eussent chanté trop haut et trop joyeusement.

Certes, ce jour-là, dans les églises de France, il se trouvait beaucoup de gens pour pleurer le roi Philippe, ou croire qu'ils le pleuraient. Mais en vérité l'émotion, même chez ceux-là, n'était qu'une forme d'apitoiement sur eux-mêmes. Ils s'essuyaient les yeux, reniflaient, hochaient le front, parce que, avec Philippe le Bel, c'était leur temps vécu qui s'effaçait, toutes les années passées sous son sceptre, presque un tiers de siècle dont son nom resterait la référence. Ils pensaient à leur jeunesse, prenaient conscience de leur vieillissement, et les lendemains soudain leur semblaient incertains. Un roi, même à l'heure qu'il trépasse, reste pour les autres une représentation et un symbole.

La messe achevée, Marguerite de Bourgogne, passant pour sortir devant le capitaine de forteresse, lui dit :

« Messire, je souhaite vous entretenir de choses importantes, et qui vous concernent. »

Bersumée éprouvait une gêne chaque fois que Marguerite de Bourgogne, lui parlant, le regardait dans les yeux.

« Je viendrai vous entendre, Madame, répondit-il, aussitôt que j'aurai fait ma ronde. »

Il ordonna au sergent Lalaine de reconduire les prisonnières, en lui conseillant à voix basse un redoublement tout à la fois d'égards et de prudence.

La tour où Marguerite et Blanche étaient recluses .ne se composait que de trois grandes chambres rondes, superposées et identiques, une par étage, avec chacune une cheminée à hotte et un plafond voûté. Ces pièces étaient reliées par un escalier en escargot qui tournait dans l'épaisseur du mur. Un détachement de gardes occupait en permanence la chambre du rez-de-chaussée. Marguerite logeait dans la pièce du premier étage, et Blanche dans celle du second. La nuit, les princesses étaient séparées par des portes épaisses qu'on cadenassait ; dans la journée, elles avaient le droit de communiquer.

Lorsque le sergent les eut raccompagnées, elles attendirent que les gonds et les verrous eussent grincé au bas des marches.

Puis elles se regardèrent et, du même mouvement, coururent l'une vers l'autre en s'écriant :

« Il est mort, il est mort ! »

Elles s'étreignaient, dansaient, riaient et pleuraient tout ensemble, et inlassablement elles répétaient :

« Il est mort ! »

Elles arrachèrent leurs béguins de toile et libérèrent leurs cheveux courts, leurs cheveux de sept mois.

« Un miroir ! La première chose que je veux, c'est un miroir », s'écria Blanche comme si elle allait être libérée sur l'heure et déjà n'avait plus à se soucier que de son apparence.

Marguerite était casquée de petites boucles noires, tassées et crépues. Les cheveux de Blanche

avaient repoussé inégalement, par mèches drues
et pâles, pareilles à du chaume. Les deux femmes
se passaient les doigts, instinctivement, sur la
nuque.

« Crois-tu que je pourrai être jolie à nouveau ?
demanda Blanche.

— Comme je dois avoir vieilli, pour que tu me
poses pareille question ! » répondit Marguerite.

Ce que les deux princesses avaient subi depuis
le printemps, le drame de Maubuisson, le jugement du roi, le monstrueux supplice infligé devant elles à leurs amants, sur la grand-place de
Pontoise, les cris orduriers de la foule, et puis
cette demi-année de forteresse, cette touffeur de
l'été surchauffant les pierres, ce froid glacial depuis qu'était arrivé l'automne, ce vent qui gémis-
sait sans répit dans les charpentes, cette noire
bouillie de sarrasin qu'on leur servait aux repas,
ces chemises aussi rugueuses que du crin qui
ne leur étaient changées que tous les deux mois,
ces jours interminables derrière une embrasure
mince comme une meurtrière et par laquelle, de
quelque manière qu'elles missent la tête, elles ne
pouvaient rien apercevoir que le casque d'un invisible archer passant et repassant sur le chemin de
ronde... tout cela avait trop fortement altéré le caractère de Marguerite, elle le sentait, elle le savait,
pour ne pas lui avoir aussi modifié le visage.

Blanche, avec ses dix-huit ans et son étrange
légèreté qui la faisait glisser en un instant de la
désolation aux espoirs insensés, Blanche qui pouvait soudain s'arrêter de sangloter, parce qu'un
oiseau chantait de l'autre côté du mur, et s'écrier,
émerveillée : « Marguerite ! Tu entends ? Un oi-

seau ! »... Blanche qui croyait aux signes, à tous les signes, et qui faisait des rêves sans arrêt, comme d'autres femmes font des ourlets, Blanche, peut-être, si on la sortait de cette geôle, serait capable de retrouver son teint, son regard et son cœur d'autrefois ; Marguerite, jamais.

Depuis le début de sa captivité, elle n'avait pas versé une seule larme, ni exprimé non plus une seule pensée de remords. Le chapelain, qui la confessait chaque semaine, était effrayé de la dureté de cette âme.

Pas un moment Marguerite n'avait consenti à se reconnaître responsable de son malheur ; pas un moment elle n'avait admis que, lorsqu'on était petite-fille de saint Louis, fille du duc de Bourgogne, reine de Navarre et future reine de France, se faire la maîtresse d'un écuyer constituait un jeu périlleux, répréhensible, qui pouvait coûter l'honneur et la liberté. Elle s'était fait justice d'avoir été mariée à un homme qu'elle n'aimait point.

Elle ne se reprochait pas d'avoir joué ; elle haïssait ses adversaires ; et c'était uniquement contre eux qu'elle tournait ses inutiles colères, contre sa belle-sœur d'Angleterre qui l'avait dénoncée, contre sa famille de Bourgogne qui ne l'avait point défendue, contre le royaume et ses lois, contre l'Eglise et ses commandements. Et quand elle rêvait de la liberté, elle rêvait aussitôt de vengeance.

Blanche lui passa le bras autour du cou.

« Je suis sûre, ma mie, que nos malheurs sont finis.

— Ils le seront, répondit Marguerite, à condition que nous agissions habilement et promptement. »

Elle avait un vague projet en tête, qui lui était venu pendant la messe, et dont elle ne savait pas où il la mènerait. Elle voulait, de toute manière, mettre la situation à profit.

« Tu me laisseras parler seule à ce grand éhanché de Bersumée, dont j'aimerais mieux voir la tête au bout d'une pique que sur ses épaules », ajouta-t-elle.

Un moment après, les deux femmes entendirent qu'on déverrouillait les portes. Elles recoiffèrent leurs béguins. Blanche alla se placer dans l'ébrasement de l'étroite fenêtre ; Marguerite s'assit sur un escabeau, seul siège dont elle disposât. Le capitaine de forteresse entra.

« Je viens, Madame, ainsi que vous m'en avez prié », dit-il.

Marguerite prit son temps, le regarda de la tête aux pieds, et dit :

« Messire Bersumée, savez-vous qui, désormais, vous gardez ? »

Bersumée détourna les yeux comme s'il cherchait un objet autour de lui.

« Je le sais, Madame, je le sais, répondit-il, et ne cesse d'y penser, depuis ce matin que le chevaucheur qui allait vers Criquebœuf et Rouen m'a fait éveiller.

— Voilà sept mois que je suis recluse ici ; je n'ai point de linge, point de meubles, point de draps ; je mange la même bouillie que vos archers, et je n'ai qu'une heure de feu par jour.

— J'ai obéi aux ordres de messire de Nogaret, Madame, répondit Bersumée.

— Guillaume de Nogaret est mort.

— Il m'avait envoyé les instructions du roi.

— Le roi Philippe est mort. »

Devinant où Marguerite voulait en venir, Bersumée répliqua :

« Mais Mgr de Marigny est toujours vivant, Madame, qui commande la justice et les prisons comme il commande toutes choses au royaume, et de qui je dépends pour tout.

— Le chevaucheur de ce matin ne vous a donc point porté de nouveaux ordres ?

— Aucun, Madame.

— Vous n'allez point tarder à en recevoir.

— Je les attends, Madame. »

Robert Bersumée paraissait plus âgé que ses trente-cinq ans. Il offrait cette mine soucieuse, bougonne, que prennent volontiers les soldats de carrière et qui, à force d'être affectée, leur devient naturelle. Pour le service ordinaire dans la forteresse, il portait un bonnet de peau de loup et une vieille cotte de mailles un peu lâche, noircie par la graisse, et qui blousait autour du ceinturon. Ses sourcils se rejoignaient au-dessus du nez.

Marguerite, au début de sa captivité, s'était presque sans détours offerte à lui, dans l'espoir de s'en faire un allié. Il avait esquivé devant chaque avance, moins par vertu que par prudence. Mais il conservait rancune à Marguerite pour le mauvais rôle qu'elle lui avait fait tenir. Aujourd'hui, il se demandait si cette sage conduite lui vaudrait personnellement faveur ou représailles.

« Cela ne m'a point été plaisir, Madame, reprit-il, que d'avoir à infliger tels traitements à des femmes... et de si haut rang que vous l'êtes.

— Je l'imagine, messire, je l'imagine, répondit Marguerite, car on sent en vous le chevalier, et les choses qu'on vous a commandées ont dû fort vous répugner. »

Le capitaine de forteresse sortait du commun peuple ; aussi n'entendit-il pas sans quelque plaisir ce mot de chevalier.

« Seulement, messire, poursuivit la prisonnière, je suis lasse de mâcher du bois pour me garder les dents blanches et de m'oindre les mains du lard de ma soupe pour que ma peau n'éclate pas de froid.

— Je comprends, Madame, je comprends.

— Je vous saurais gré de me faire désormais tenir à l'abri du gel, de la vermine et de la faim. »

Bersumée baissa la tête.

« Je n'ai point d'ordres, Madame.

— Je ne suis ici que par la haine que me vouait le roi Philippe, et son trépas va tout changer, reprit Marguerite avec une belle assurance. Allez-vous attendre qu'on vous commande de m'ouvrir les portes pour témoigner quelque égard à la reine de France ? Ne croyez-vous pas que ce serait agir assez sottement contre votre fortune ? »

Les militaires sont souvent de naturel indécis, ce qui les prédispose à l'obéissance et leur fait perdre beaucoup de batailles. Bersumée, s'il avait pour ses subordonnés l'injure prompte et le poing leste, ne possédait pas de grandes dispositions à l'initiative devant les situations imprévues.

Entre le ressentiment d'une femme qui, selon ce qu'elle affirmait, serait toute-puissante demain, et la colère de Mgr de Marigny qui était tout-puissant aujourd'hui, quel risque devait-il choisir ?

« Je voudrais aussi que Madame Blanche et moi, dit Marguerite, puissions sortir une heure ou deux de cette enceinte, sous votre conduite si vous le croyez bon, et voir autre chose que les créneaux de ces murs et les piques de vos archers. »

C'était aller trop vite, et trop loin. Bersumée éventa la ruse. Ses prisonnières cherchaient à communiquer avec l'extérieur, et peut-être même à lui filer entre les doigts. Donc, elles n'étaient pas tellement assurées de leur retour en cour.

« Puisque vous êtes reine, Madame, vous comprendrez que je sois fidèle au service du royaume, dit-il, et que je ne puisse enfreindre les règlements qui m'ont été donnés. »

Il sortit là-dessus, pour éviter d'avoir à discuter davantage.

« C'est un chien, s'écria Marguerite lorsqu'il eut disparu, un chien de garde qui n'est bon qu'à aboyer et à mordre. »

Elle avait fait une fausse manœuvre et rageait en parcourant la chambre ronde.

Bersumée, de son côté, n'était guère plus satisfait. « Il faut s'attendre à tout, quand on est le geôlier d'une reine », se disait-il. Or, s'attendre à tout, pour un soldat de métier, c'est d'abord s'attendre à une inspection.

II

MONSEIGNEUR ROBERT D'ARTOIS

La neige fondante s'égouttait des toits. Partout
on balayait, partout on fourbissait. Le logis de
garde retentissait de grandes claques d'eau jetée
par seaux sur le dallage. On graissait les chaînes
du pont-levis. On sortait les fourneaux à faire
bouillir la poix, comme si la citadelle allait être
attaquée sur l'heure. Depuis Richard Cœur de
Lion, Château-Gaillard n'avait pas connu pareil
branle-bas.

Redoutant une visite impromptue, le capitaine
Bersumée avait décidé de mettre sa garnison sur
pied de parade. Les poings aux hanches et le
gueuloir ouvert, il parcourait le casernement,
s'emportait devant les épluchures qui souillaient
les cuisines, montrait d'un menton furieux les toiles d'araignées qui pendaient des poutres, se faisait présenter les équipements. Tel archer avait

perdu son carquois. Où était-il, ce carquois ? Et ces cottes de mailles rouillées aux emmanchures ? Allez, qu'on prenne du sable à pleines mains, et qu'on frotte, et que cela brille !

« Si messire de Pareilles vient à nous tomber sur le dos, hurlait Bersumée, je ne tiens point à lui montrer une troupe de mendiants ! Mouvez-vous ! »

Et malheur à qui ne courait pas assez vite ! Le soldat Gros-Guillaume, celui qui espérait une ration de vin supplémentaire, prit un bon coup de pied dans les tibias. Le sergent Lalaine était exténué.

A piétiner la boue neigeuse, les hommes rapportaient dans les bâtiments autant de saleté qu'ils en ôtaient. Les portes battaient ; Château-Gaillard ressemblait à une maison qu'on déménage. Si les princesses avaient voulu s'évader, c'eût été le moment à choisir entre tous.

Au soir Bersumée n'avait plus de voix, et ses archers somnolaient sur les créneaux.

Mais quand le surlendemain, aux premières heures de la matinée, les guetteurs aperçurent dans le paysage blanc, le long de la Seine, une troupe de cavaliers qui approchait bannière en tête, sur la route de Paris, le capitaine de forteresse se félicita des dispositions qu'il avait prises.

Il enfila rapidement sa meilleure cotte de mailles, noua sur ses bottes des éperons longs de trois pouces, se coiffa de son chapeau de fer et sortit dans la cour. Il eut quelques instants pour regarder, avec une satisfaction inquiète, la garnison alignée dont les armes luisaient dans la lumière laiteuse de l'hiver.

« Au moins, on ne pourra point me reprendre sur le chapitre de l'ordonnance, se dit-il. Et cela me rendra plus fort pour me plaindre de la maigreur de ma solde, et des retards qu'on met à me bailler l'argent avec lequel je dois nourrir mes gens. »

Déjà les trompettes sonnaient au pied de la falaise, et l'on entendait les sabots des chevaux frapper le sol crayeux.

« Les herses ! Le pont ! »

Les chaînes du pont-levis tremblèrent dans leurs glissières et, une minute plus tard, quinze écuyers aux armes royales, entourant un grand cavalier rouge posé sur sa monture comme s'il figurait sa propre statue équestre, franchissaient en trombe la voûte du corps de garde et débouchaient dans la seconde enceinte de Château-Gaillard.

« Est-ce le nouveau roi ? pensa Bersumée en se précipitant. Seigneur ! Est-ce déjà le roi qui vient chercher sa femme ? »

Son souffle était tranché par l'émotion. Il fut un moment avant de pouvoir distinguer clairement l'homme au manteau sang-de-bœuf qui avait mis pied à terre et, colosse de drap, de fourrure, de cuir et d'argent, se fendait un chemin parmi les écuyers. Une large buée fumante montait du poil des chevaux.

« Service du roi ! dit l'immense cavalier en agitant sous le nez de Bersumée, sans lui laisser le temps de lire, un parchemin auquel pendait un sceau. Je suis le comte Robert d'Artois. »

Les salutations furent brèves. Mgr Robert d'Artois fit fléchir Bersumée en lui posant la main sur l'épaule afin de marquer qu'il n'était point hautain. Puis il réclama du vin chaud pour lui et toute son escorte, d'une voix qui fit se retourner les guetteurs sur les chemins de ronde.

Depuis la veille, Bersumée s'était préparé à briller, à se montrer le gouverneur parfait d'une forteresse sans défaut, et à se conduire en sorte qu'on se souvînt de lui. Il avait même une harangue toute prête ; elle lui resta dans la gorge pour jamais. Il s'entendit bredouiller de pauvres flagorneries, se trouva invité à boire le vin qu'on lui demandait et fut poussé vers les quatre pièces de son logement dont les proportions lui parurent rapetissées. Jusque-là, Bersumée s'était toujours jugé homme de belle taille ; devant ce visiteur, il se sentait nain.

« Comment se portent les prisonnières ? dit Robert d'Artois.

— Fort bien, Monseigneur, elles se portent fort bien, je vous en remercie », répondit Bersumée sottement, comme si on lui demandait nouvelles de sa famille.

Et il avala de travers le contenu de son gobelet.

Mais déjà Robert d'Artois sortait, à grandes enjambées, et l'instant d'après Bersumée escaladait derrière lui l'escalier de la tour où logeaient les recluses.

Sur un signe, le sergent Lalaine, dont les doigts tremblaient, tira les verrous.

Marguerite et Blanche attendaient, debout au milieu de la pièce ronde. Elles eurent le même mouvement instinctif pour se rapprocher l'une de l'autre et se prendre la main.

« Vous, mon cousin ! » dit Marguerite.

D'Artois s'était arrêté dans l'encadrement de la porte qu'il bouchait complètement. Il clignait des yeux. Comme il ne répondait rien, tout occupé à contempler les deux femmes, Marguerite reprit, la voix vite affermie :

« Regardez-nous, oui, regardez-nous bien ! Et voyez la misère où l'on nous a réduites. Cela doit vous changer du spectacle de la cour, et du souvenir que vous aviez de nous. Point de linge. Point de robes. Point de nourriture. Et point de sièges à offrir à un aussi gros seigneur que vous ! »

« Savent-elles ? » se demandait d'Artois en avançant lentement. « Savent-elles la part que j'ai prise dans leur perte, et que c'est moi qui ai tendu le piège où elles sont tombées ? »

« Robert, est-ce notre délivrance que vous nous apportez ? » s'écria Blanche de Bourgogne.

Elle venait vers le géant, les mains tendues, les yeux brillants d'espérance.

« Non, elles ne savent rien, pensa d'Artois, et cela va rendre ma mission plus aisée. »

Il se retourna d'un bloc.

« Bersumée, dit-il, il n'y a donc point de feu ici ?

— Non, Monseigneur.

— Qu'on en fasse ! Et point de meubles ?

— Non, Monseigneur ; les ordres que j'avais...

— Des meubles ! Qu'on ôte ce grabat ! Qu'on mette un lit, des chaises à s'asseoir, des tentures, des flambeaux. Ne me dis pas que tu n'as rien. J'ai vu ce qu'il faut dans ta demeure. »

Il avait empoigné le capitaine par le bras.

« Et à manger, dit Marguerite. Dites à notre bon gardien, qui nous fait servir une chère que les porcs laisseraient au fond de leur auge, de nous bailler enfin un repas.

— Et à manger, bien sûr, Madame ! dit d'Artois. Des pâtés et des rôts. Des légumes frais. De bonnes poires d'hiver et des confitures. Et du vin, Bersumée, beaucoup de vin !

— Mais, Monseigneur..., gémit le capitaine.

— Tu m'as compris, je t'en sais gré ! » dit d'Artois en le poussant dehors.

Il claqua l'huis d'un coup de botte.

« Mes bonnes cousines, reprit-il, je m'attendais au pire, en vérité. Mais je vois avec soulagement que ce triste séjour n'aura point entamé les deux plus beaux visages de France.

— Nous nous lavons encore, dit Marguerite. Nous avons de l'eau à suffisance. »

D'Artois s'était assis sur l'escabeau et continuait d'observer les prisonnières. « Ah ! mes oiselles, se chantait-il intérieurement, voilà ce qu'il en est d'avoir voulu se tailler des parures de reines dans l'héritage de Robert d'Artois ! » Il essayait de deviner si, sous la bure de leurs robes, les corps des deux jeunes femmes avaient perdu leurs belles courbes de naguère. Il était pareil à un gros chat s'apprêtant à jouer avec des souris en cage.

« Marguerite, demanda-t-il, en quel point sont vos cheveux ? Sont-ils bien fournis à nouveau ? »

Marguerite de Bourgogne sursauta comme sous une piqûre.

« Debout, Monseigneur d'Artois ! s'écria-t-elle d'une voix de colère. Si réduite à misère que vous me trouviez ici, je ne tolère pas encore qu'un homme soit assis en ma présence, quand je ne le suis pas ! »

Il se releva lentement, ôta son chaperon et salua, d'un large mouvement ironique. Marguerite se détourna vers la fenêtre ; dans la lame de lumière qui en venait, Robert put mieux distinguer le visage de sa victime. Les traits avaient conservé leur beauté ; mais toute douceur en était disparue. Le nez était plus maigre, les yeux plus enfoncés. Les fossettes qui le printemps dernier se creusaient au coin des joues ambrées étaient devenues de toutes petites rides. « Allons, se dit d'Artois, elle a gardé de la défense. Le jeu n'en sera que plus divertissant. » Il aimait avoir à lutter pour triompher.

« Ma cousine, dit-il avec une feinte bonhomie, je n'avais point dessein de vous insulter ; vous vous êtes méprise. Je voulais savoir simplement si vos cheveux étaient redevenus assez longs pour que vous puissiez vous présenter au monde. »

Marguerite ne put refréner un mouvement de joie.

« ... Me présenter au monde... Cela veut donc dire que je vais sortir. Suis-je graciée ? Est-ce le trône qu'il m'apporte ? Non, ce n'est point cela, il me l'aurait annoncé aussitôt... »

Elle pensait trop vite et se sentait vaciller.

« Robert, dit-elle, ne me faites point languir. Ne soyez pas cruel. Qu'êtes-vous venu me dire ?

— Ma cousine, je suis venu vous délivrer... »

Blanche poussa un cri, et Robert pensa qu'elle allait tomber en pâmoison. Il avait laissé sa phrase en suspens.

« ... un message », acheva-t-il.

Il prit plaisir à voir s'affaisser les épaules des

deux femmes, et à entendre deux soupirs de déception.

« Un message de qui ? demanda Marguerite.

— De Louis, votre époux, notre roi désormais. Et de notre bon cousin Mgr de Valois. Mais je ne puis parler qu'à vous seule. Blanche veut-elle se retirer ?

— Certes, dit Blanche avec soumission, je vais me retirer. Mais avant, mon cousin, laissez-moi savoir... Charles, mon mari ?

— La mort de son père l'a fort blessé.

— Et de moi... que pense-t-il ? Parle-t-il de moi ?

. — Je crois qu'il vous regrette, en dépit de ce qu'il a souffert par vous. Depuis Pontoise, on ne l'a jamais vu gai comme il était avant. »

Blanche fondit en larmes.

« Croyez-vous, demanda-t-elle, qu'il me donne mon pardon ?

— Cela dépend beaucoup de votre cousine », répondit d'Artois en désignant Marguerite.

Il alla ouvrir la porte, suivit Blanche des yeux tandis qu'elle montait vers le second étage, referma. Puis il vint s'asseoir sur un étroit siège de pierre maçonné dans le flanc de la cheminée, en disant :

« Vous permettez à présent, ma cousine ?... Il faut avant tout que je vous instruise des choses de la cour, comme elles vont en ce moment. »

Le courant d'air glacial qui venait par la hotte le fit se relever.

« C'est vrai qu'on gèle ici », dit-il.

Et il alla se replanter sur l'escabeau, tandis que Marguerite s'asseyait, jambes repliées, sur le bat-

flanc couvert de paille qui lui servait de couche.
D'Artois reprit :

« Depuis ces derniers jours que le roi Philippe
agonisait, Louis, votre époux, paraît en pleine confusion. S'éveiller roi, quand on a dormi prince,
demande un peu d'accoutumance. Son trône de
Navarre, il ne l'occupait guère que de nom, et
tout s'y commandait sans lui. Vous me direz que
Louis a vingt-cinq ans et qu'à cet âge on peut
régner ; mais vous savez tout comme moi que le
jugement, sans lui faire injure, n'est point la qualité par laquelle il brille. Donc, en ce premier
temps, son oncle Charles de Valois le seconde
en tout, et dirige les affaires avec Enguerrand de
Marigny. L'ennui, c'est que ces deux puissants esprits s'aiment peu, et entendent mal ce que l'un
dit à l'autre. On voit même que bientôt ils ne s'en-
tendront plus du tout, ce qui ne saurait durer
beaucoup, car le chariot du royaume ne peut être
tiré par deux chevaux qui se battent dans les
traits. »

D'Artois avait complètement changé de ton. Il
parlait posément, nettement, montrant par là que
dans la turbulence de ses entrées il mettait une
bonne part de comédie.

« Pour moi, vous le savez, reprit-il, je n'aime
pas fort Enguerrand, qui m'a beaucoup nui, et je
soutiens de plein cœur mon cousin Valois, dont
je suis l'ami et l'allié en tout. »

Marguerite s'appliquait à saisir ces intrigues
dans lesquelles d'Artois la replongeait brusquement. Elle n'était plus au courant de rien, et il
lui semblait sortir d'un long sommeil de la pensée.

« Louis me hait-il toujours ?

— Ah ! ça oui, je ne vous le cache pas, il vous hait bien ! Avouez qu'il y a de quoi. La paire de cornes dont vous lui avez décoré la tête le gêne assez pour mettre par-dessus la couronne de France. Remarquez, ma cousine, si c'était à moi qu'on en eût fait autant, je n'aurais point été le clabauder dans tout le royaume. J'aurais agi de sorte que je pusse feindre que mon honneur était sauf. Mais enfin votre époux et feu le roi votre beau-père en jugeaient autrement, et les choses en sont au point qu'elles sont. »

Il avait bel aplomb à déplorer un scandale qu'il s'était ingénié, par tous les moyens, à faire éclater. Il poursuivit :

« La première idée de Louis, après qu'il eut vu son père froid, et la seule qu'il ait en tête pour le moment, c'est de sortir de l'embarras où il est par votre faute, et d'effacer la honte dont vous l'avez couvert.

— Que veut Louis ? » demanda Marguerite.

D'Artois souleva sa jambe monumentale et frappa le dallage, deux ou trois fois, du talon.

« Il veut demander l'annulation de votre mariage, répondit-il, et vous voyez qu'il la souhaite rapidement puisqu'il n'a pas traîné à me dépêcher vers vous. »

« Ainsi, je ne serai jamais reine de France », pensa Marguerite. Les rêves insensés dont elle avait voulu se bercer depuis la veille étaient déjà anéantis. Une journée de rêve pour sept mois de prison... et pour toute la vie !

A ce moment deux soldats entrèrent chargés de bois et de fagots, et allumèrent le feu.

Dès qu'ils furent sortis, Marguerite, avidement, vint tendre les mains aux flammes qui s'élevaient, couleur de géranium, sous la grande hotte de pierre. Elle demeura silencieuse quelques instants, se laissant pénétrer du bienfait de la chaleur.

« Eh bien, dit-elle enfin avec un soupir, qu'il demande l'annulation ; qu'y puis-je ?

— Eh ! ma cousine, vous y pouvez beaucoup justement, et l'on est prêt à vous savoir gré de quelques paroles qui ne vous coûteraient guère. Il se trouve que l'adultère n'est point motif d'annulation ; c'est absurde, mais c'est ainsi. Vous pourriez avoir eu cent amants au lieu d'un, et même être allée vous rouler en bordeau, vous n'en seriez pas moins toujours indissolublement mariée à l'homme auquel vous vous êtes unie pardevant Dieu. Interrogez le chapelain, ou qui vous plaira. Moi-même, je me suis fait expliquer ces choses, car je ne suis guère savant en droit canon. Un mariage ne se rompt point, et si l'on veut le casser, il faut prouver qu'il y avait empêchement à ce qu'il fût contracté, ou bien encore qu'il n'a pas été consommé. Vous suivez mon propos ?

— Oui, oui, je vous entends, dit Marguerite.

— Alors voici, reprit le géant, ce que Mgr de Valois a imaginé pour tirer Louis d'affaire. »

Il prit un temps, se racla la gorge.

« Vous acceptez de reconnaître que votre fille Jeanne n'est point de Louis ; vous reconnaissez que vous vous êtes toujours refusée de corps à votre époux, et qu'ainsi il n'y a pas eu vraiment mariage. Vous déclarez cela tout benoîtement devant moi et devant votre chapelain qui contresigne. On trouvera sans peine, parmi vos anciens serviteurs ou familiers, quelques témoins de complaisance pour certifier la chose. De la sorte le lien ne peut plus être défendu, et l'annulation va de soi.

— Et que m'offre-t-on en échange ?

— En échange ? répéta d'Artois. En échange, ma cousine, on vous offre d'être conduite dans quelque couvent du duché de Bourgogne, jusqu'à ce que l'annulation soit prononcée, et ensuite de vivre comme il vous siéra ou comme il siéra à votre famille. »

Dans le premier mouvement, Marguerite faillit répondre : « J'accepte ; je déclare et signe tout ce qu'on veut, à condition que je sorte d'ici. » Mais elle vit d'Artois qui l'épiait, paupières mi-closes sur ses yeux gris, avec une dureté fort peu accordée au ton débonnaire qu'il s'efforçait de prendre. « Je vais signer, pensa-t-elle, et ensuite on me maintiendra en geôle. » Puisqu'on venait lui proposer un marché, on avait besoin d'elle.

« C'est vouloir me faire professer un gros mensonge », dit-elle.

D'Artois éclata de rire.

« Eh là, ma cousine ! Vous en avez professé quelques autres, il me semble, et sans trop de scrupules !

— Il se peut que j'aie changé, et me sois repentie. Il me faut réfléchir avant de décider. »

Robert d'Artois fit une curieuse grimace, tordant les lèvres de droite à gauche.

« Soit, dit-il, mais réfléchissez vite. Car je dois être à Paris le matin d'après demain, pour la grand-messe de funérailles du roi Philippe, à Notre-Dame. Vingt-trois lieues à me caler dans les bottes. Avec ces chemins où l'on enfonce de deux pouces dans la crotte, le jour qui tombe tôt et se lève tard, je ne puis guère muser. Je m'en vais dormir une heure et vous viendrai retrouver pour manger avec vous. Il ne sera pas dit que je vous laisserai seule, ma cousine, le premier jour où vous ferez bonne chère. Vous aurez décidé comme il faut, j'en suis sûr. »

Il sortit vivement, et manqua de renverser dans l'escalier l'archer Gros-Guillaume qui montait, suant et courbé sous un énorme coffre. D'autres meubles s'entassaient au bas des marches.

D'Artois s'engouffra dans le logement dévasté du capitaine de forteresse et se jeta sur la seule couche qui y restât.

« Bersumée, mon ami, que le dîner soit prêt dans une heure, dit-il. Et appelle mon valet Lormet, qui doit être parmi les écuyers, pour qu'il vienne veiller mon sommeil. »

Car ce colosse ne craignait rien, sinon de s'offrir sans défense à ses ennemis pendant qu'il dormait. Et à tout varlet ou bachelier, il préférait, comme garde, le serviteur trapu, carré, grisonnant, qui le suivait partout et le servait en tout, aussi habile à le pourvoir de filles qu'à poignarder silencieusement un gêneur si quelque affaire tournait mal dans une taverne. Avec cela malicieux, mais jouant à merveille les niais, et d'autant plus dangereux qu'il ne payait pas de mine, Lormet était un espion excellent. Quand on lui demandait ce qui l'attachait si fort à Monseigneur Robert, le bonhomme, ses joues rondes traversées d'un sourire auquel manquaient trois dents, répondait :

« C'est parce que dans chacun de ses vieux manteaux, je peux m'en tailler deux. »

Dès que Lormet fut entré, Robert ferma les yeux
et s'endormit dans l'instant, bras ouverts, pieds
écartés, le ventre soulevé d'un bon souffle d'ogre.

Lormet s'assit sur un tabouret, sa dague posée
en travers des genoux, et se mit en surveillance
devant le sommeil du géant.

Une heure plus tard Robert d'Artois s'éveilla de
lui-même, s'étira comme un gros tigre, et se dressa, reposé de muscles et frais d'esprit.

« A toi d'aller dormir maintenant, mon bon
Lormet, dit-il ; mais auparavant, va me querir le
chapelain. »

III

LA DERNIÈRE CHANCE D'ÊTRE REINE

Le dominicain en disgrâce arriva aussitôt, tout agi-té d'être mandé en particulier par un si haut ba-ron.

« Mon frère, lui dit d'Artois, vous connaissez bien Madame Marguerite puisque vous la confes-sez. Quel est le faible de sa nature ?

— La chair, Monseigneur, répondit le chapelain en baissant modestement les yeux.

— Grande nouvelle en vérité ! Mais encore... Y a-t-il quelque sentiment chez elle sur lequel on puisse peser, pour lui faire entendre certaines cho-ses qui sont dans son intérêt comme dans celui du royaume ?

— Je ne vois pas, Monseigneur. Je ne vois rien en elle qui puisse fléchir... sauf sur le point que je vous ai dit. Cette princesse a l'âme dure comme une épée, et même la prison n'en a pas émoussé le tranchant. Ah ! Ce n'est point, croyez-le, une pénitente facile ! »

Les mains dans les manches, le front incliné, il

essayait de se montrer à la fois pieux et habile. Il n'avait pas été tondu récemment, et son crâne, au-dessus de la couronne de cheveux, se couvrait d'une rase fourrure beige. Son froc blanc était marbré de taches de vin mal effacées au lavage.

D'Artois resta silencieux un instant, se frottant la joue parce que la tonsure du chapelain le faisait songer à sa barbe qui commençait à pousser.

« Et sur le point que vous m'avez dit, reprit-il, qu'a-t-elle trouvé ici pour satisfaire... sa faiblesse, puisque c'est ainsi que vous nommez cette sorte de vigueur ?

— A ma connaissance, rien, Monseigneur.

— Bersumée ? Il ne lui fait jamais de visite un peu longue ?

— Jamais, Monseigneur ; je puis en répondre, s'écria le chapelain.

— Et... avec vous ?

— Oh ! Monseigneur !

— Allons, allons ! dit d'Artois. Cela s'est déjà vu, et l'on connaît plus d'un de vos pareils qui, son froc ôté, se sent homme autant qu'un autre. Pour ma part je n'y vois pas offense, et même, pour vous dire franc, j'y verrais plutôt matière à louange... Et avec sa cousine ? Les deux dames ne se consolent point un peu entre elles ?

— Monseigneur ! dit le chapelain, affectant de plus en plus un pieux effarouchement. C'est un secret de confession que vous me demandez là ! »

D'Artois lui adressa une bourrade amicale.

« Allons, allons, messire chapelain, ne plaisantez point. Si l'on vous a mis desservant de prison, ce n'est pas pour garder les secrets, c'est pour les répéter... à qui de droit.

— Ni Madame Marguerite ni Madame Blanche ne se sont jamais accusées à moi d'être coupables de rien de semblable, sinon en rêve, dit le chapelain en baissant les yeux.

— Ce qui ne prouve pas qu'elles sont innocentes, mais qu'elles sont prudentes. Savez-vous écrire ?

— Certes, Monseigneur.

— Ah bah ! fit d'Artois d'un air étonné. Tous les moines ne sont donc pas d'aussi fieffés ignorants qu'on le dit !... Alors, mon petit frère, vous allez prendre du parchemin, des plumes, et tous les ingrédients qu'il faut pour gratter une lettre, et vous tenir au bas de la tour des princesses, prêt à grimper dès que je vous appellerai. »

Le chapelain s'inclina. Il avait quelque chose à ajouter, mais d'Artois, s'enveloppant de son grand manteau d'écarlate, sortait. Le chapelain courut derrière lui.

« Monseigneur, Monseigneur, dit-il d'une voix pleine d'onction, auriez-vous la grande bonté, si ce n'est point vous offenser que de vous faire pareille requête, auriez-vous l'immense bonté...

— Quoi donc ? Quelle bonté ?

— Eh bien, Monseigneur, de dire à frère Renaud, le grand inquisiteur, s'il vous arrive de le voir, que je suis toujours son bien obéissant fils, et aussi qu'il ne m'oublie pas trop longtemps dans ce château fort, où je sers de mon mieux puisque Dieu m'y a mis ; mais j'ai quelques mérites, Monseigneur, ainsi que vous l'avez pu voir, et je souhaiterais qu'on leur donnât un autre emploi.

— J'y penserai, je lui dirai », répondit d'Artois qui savait déjà qu'il n'en ferait rien.

Dans la chambre de Marguerite, les deux princesses achevaient leur toilette. Elles venaient de
se laver longuement devant le feu, faisant durer ce
plaisir retrouvé. Leurs courts cheveux étaient encore emperlés de gouttelettes ; et elles avaient
juste revêtu de grandes chemises blanches, raides
d'empois, trop vastes et fermées au col par une
coulisse. Quand la porte s'ouvrit, les deux femmes
eurent un même mouvement de recul pudique.

« Oh ! mes cousines, dit Robert, ne vous souciez point. Restez donc ainsi. Je suis de la famille.
Et puis ces chemises vous cachent mieux que les
robes dans lesquelles vous vous montriez naguère.
Vous avez tout juste l'air de petites nonnains. Mais
vous offrez meilleur aspect que tout à l'heure, et
les couleurs commencent à vous revenir. Avouez
que votre sort n'a pas tardé à changer, depuis que
je suis arrivé !

— Oh ! oui, merci, mon cousin ! » s'écria Blanche.

La pièce était transformée. On y avait installé
un lit, deux coffres qui formaient bancs, une chaise à dossier, des tréteaux et une table sur laquelle
étaient disposés les écuelles, les gobelets et le vin
de Bersumée. Un cierge était allumé, car bien que
midi n'eût pas encore sonné à la grêle cloche de
la chapelle, la lumière de ce jour neigeux n'éclairait déjà plus l'intérieur de la tour. Dans la cheminée flambaient de lourdes bûches dont l'humid-
ité s'échappait par les bouts, en petites bulles,
avec un bruit chuintant.

Aussitôt après Robert entrèrent le sergent Lalaine, l'archer Gros-Guillaume et un autre soldat,
qui montaient un potage épais et fumant, un gros

pain briais rond comme une tourte, un pâté de cinq livres dans une croûte dorée, un lièvre rôti, des quartiers d'oie confite et quelques poires crassanes que Bersumée, en menaçant de faire raser le bourg, avait pu dénicher dans Les Andelys.

« Comment, s'écria d'Artois, est-ce tout ce que vous nous portez quand j'avais demandé bonne chère ?

— C'est miracle encore, Monseigneur, qu'on ait pu trouver cela, par ce temps de famine, répondit Lalaine.

— Temps de famine pour les gueux, peut-être, qui sont si fainéants qu'ils voudraient que la terre produise sans qu'ils aient à la creuser ; mais non pour les gens de bien ! Je n'aurai jamais fait si petit menu depuis le temps que je tétais au sein. »

Les prisonnières regardaient avec des yeux de jeunes fauves ces victuailles étalées que d'Artois affectait de mépriser. Blanche en avait les larmes au bord des paupières. Et les trois soldats aussi contemplaient la table, avec des yeux de convoitise émerveillée.

Gros-Guillaume, qui n'était gras que de seigle bouilli, s'approcha prudemment pour tailler le pain, car il servait ordinairement le dîner du capitaine.

« Non ! hurla d'Artois, ne touche point mon pain de tes sales pattes. Nous trancherons nous-mêmes. Fuyez, avant que je ne me fâche ! »

Une fois les archers disparus il ajouta, se voulant facétieux :

« Allons ! Je vais m'habituer un peu à la vie de prison. Qui sait ?... »

Il invita Marguerite à s'asseoir sur la chaise à dossier.

« Blanche et moi nous siégerons sur ce banc », dit-il.

Il versa le vin et, levant son gobelet devant Marguerite, lança :

« Vive la reine !

— Ne vous moquez point de moi, mon cousin, dit Marguerite de Bourgogne. C'est manquer de charité.

— Je ne me moque point. Entendez mes paroles pour ce qu'elles veulent dire. Vous êtes reine de fait, ce jour encore... et je vous souhaite de vivre, tout simplement. »

Là-dessus le silence tomba, car ils se mirent à dîner. Tout autre que Robert se fût ému de voir les deux femmes se jeter sur les mets comme des pauvresses. Elles ne cherchaient même pas à feindre la retenue, et lampaient le potage et mordaient au pâté sans presque prendre le temps de respirer.

D'Artois avait piqué le lièvre au bout de sa dague, et le présentait aux braises de la cheminée pour le réchauffer. Ce faisant, il continuait d'observer ses cousines, et un rire gras lui montait à la gorge. « Je poserais leurs écuelles à terre qu'elles se mettraient à quatre pattes pour les lécher. »

Elles buvaient le vin du capitaine comme si elles avaient voulu compenser d'un coup sept mois d'eau de citerne ; le sang leur montait aux joues. « Elles vont être malades, pensait d'Artois, et finir cette belle journée en vomissant leurs tripes. »

Lui-même mangeait pour une escouade. Son pro-

digieux appétit, qu'il tenait de famille, n'était pas
légende, et il aurait fallu couper en quatre chacune de ses bouchées pour les offrir à un gosier
normal. Il dévorait l'oie confite ainsi que d'ordinaire on grignote les grives, en mâchant les os.
Il s'excusa, modeste, de n'en pas user de même
avec la carcasse du lièvre.

« Les os de lièvre, expliqua-t-il, se brisent en
biseau et déchirent les entrailles. »

Quand enfin chacun fut repu, d'Artois fit un
signe à Blanche, l'invitant à se retirer. Elle se leva
sans se faire prier, encore qu'elle eût les jambes
un peu fléchissantes. La tête lui tournait, et elle
semblait en grand besoin de trouver un lit. Robert
eut alors, exceptionnellement, une pensée charita-
ble. « Si elle sort ainsi au froid, elle va crever. »

« A-t-on fait aussi du feu chez vous ? demanda-t-il

— Oui, merci, mon cousin, répondit Blanche.
Notre vie est vraiment toute changée, grâce à
vous. Ah ! je vous aime, mon cousin... vraiment
je vous aime bien... Vous le direz à Charles, n'est-
ce pas... Vous lui direz que je l'aime... qu'il me
pardonne puisque je l'aime. »

Elle aimait tout le monde dans le moment présent. Elle était gentiment soûle, et manqua s'étaler dans l'escalier. « Si je ne cherchais ici que mon
divertissement, pensa d'Artois, celle-là ne me ferait guère de résistance. Donnez du vin en suffisance à une princesse ; vous ne tarderez point à la
voir se conduire en ribaude. Mais l'autre aussi me
paraît cuite à point. »

Il rechargea le feu d'une grande bûche, remplit
les gobelets pour Marguerite et pour lui-même.

« Alors, ma cousine, dit-il, avez-vous réfléchi ? »

Marguerite semblait tout amollie par la chaleur autant que par le vin.

« J'ai réfléchi, Robert, j'ai réfléchi. Et je crois bien que je vais refuser, répondit-elle en rapprochant sa chaise du foyer.

— Allons, ma cousine, vous ne parlez pas de bon sens ! s'écria Robert.

— Mais si, mais si. Je crois bien que je vais refuser », répéta-t-elle d'une voix douce.

Le géant eut un mouvement d'impatience.

« Marguerite, écoutez-moi. Vous avez tout avantage à accepter maintenant. Louis est impatient de nature, prêt à céder n'importe quoi pour obtenir sur-le-champ ce qu'il désire. Jamais plus vous ne pourrez en tirer si bon parti. Consentez à déclarer ce qu'on vous demande. Votre affaire n'a pas besoin d'aller devant le Saint-Siège ; elle peut être jugée par le tribunal épiscopal de Paris. Avant trois mois, vous aurez repris pleine liberté de vous-même.

— Sinon ?... »

Elle se tenait un peu penchée vers le feu, les paumes offertes à la flamme, et dodelinant la tête. Le cordonnet qui fermait le col de sa longue chemise s'était dénoué, et elle offrait sa gorge, profondément, aux regards de son cousin. « La mâtine a gardé de beaux seins, pensait d'Artois, et ne semble pas avare de les montrer... »

« Sinon ?... répéta-t-elle.

— Sinon l'annulation sera prononcée de toute manière, ma mie, car on trouve toujours un motif pour annuler le mariage d'un roi. Aussitôt qu'il y aura un pape...

— Ah ! il n'y a donc toujours pas de pape ? »
dit Marguerite.

Robert d'Artois se pinça les lèvres ; il avait
fait une faute. Il n'avait pas songé que Marguerite de Bourgogne pouvait ignorer, au fond de
sa prison, ce dont le monde entier était informé,
à savoir que, depuis la mort de Clément V, le
conclave ne réussissait pas à élire un nouveau
pontife. Il venait de fournir une bonne arme à
son adversaire, laquelle, s'il en jugeait par la
vitesse de la réaction, n'était pas aussi alanguie
qu'elle voulait le paraître.

Cette bévue commise, il tenta de la tourner à
son avantage en jouant le jeu de la fausse franchise, où il était maître.

« Mais c'est bien là votre chance ! s'écria-t-il, et
c'est justement ce que je veux vous faire entendre. Dès que ces pendards de cardinaux, qui tiennent marché de promesses comme s'ils étaient
en foire, auront assez vendu leurs voix pour consentir à se mettre d'accord, Louis n'aura plus
besoin de vous. Vous aurez seulement obtenu
qu'il vous haïsse un peu plus, et qu'il vous tienne
enfermée ici à jamais.

— Je vous comprends bien. Mais je comprends
également qu'aussi longtemps qu'il n'y a point
de pape, on ne peut rien sans moi.

— C'est bêtise que de vous obstiner, ma
mie. »

Il vint près d'elle, lui posa sur le cou sa lourde
patte, et se mit à lui caresser l'épaule, sous la
chemise.

Le contact de cette grande main musclée parut
troubler Marguerite.

« Quel si grand intérêt, Robert, dit-elle doucement, avez-vous à ce que j'accepte ? »

Il se pencha jusqu'à effleurer des lèvres ses
bouclettes noires. Il sentait le cuir et la sueur de
cheval ; il sentait la fatigue, il sentait la boue ;
il sentait le gibier et les nourritures fortes. Marguerite était comme enveloppée dans cette épaisse
odeur de mâle.

« Je vous aime bien, Marguerite, répondit-il ;
je vous ai toujours bien aimée, vous le savez.
Et maintenant nos intérêts sont unis. Il vous
faut retrouver votre liberté. Et moi je veux satisfaire Louis, afin qu'il me favorise. Vous voyez
bien que nous devons être alliés. »

En même temps il plongeait la main fort avant
dans le corsage de Marguerite, sans que celle-ci
lui opposât aucune résistance. Au contraire, elle
appuyait la tête contre le poignet de son cousin,
et semblait s'abandonner.

« N'est-ce pas pitié, reprit Robert, que si beau
corps, si doux et alléchant, soit privé des plaisirs
de nature ?... Acceptez, Marguerite, et je vous
emmène avec moi ce jour même, loin de cette
prison ; je vous conduis d'abord en quelque
douillette hôtellerie de couvent, où je pourrai vous
aller visiter souvent et veiller sur vous... Que vous
importe, en vérité, de déclarer que votre fille
n'est pas de Louis, puisque vous n'avez jamais
aimé cette enfant ? »

Elle leva les yeux.

« Si je n'aime point ma fille, dit-elle, n'est-ce
pas la preuve justement qu'elle est bien de mon
époux ? »

Elle demeura rêveuse un moment, le regard en

l'air. Les bûches s'écroulèrent dans l'âtre, illumi-
nant la pièce d'un grand jaillissement d'étincel-
les. Et Marguerite soudain se mit à rire.

« Qu'est-ce donc qui vous amuse ? lui demanda
Robert.

— Le plafond, répondit-elle. Je viens de voir
qu'il ressemble à celui de la tour de Nesle. »

D'Artois se redressa, stupéfait. Il ne pouvait se
défendre d'une certaine admiration pour tant de
cynisme mêlé à tant de rouerie. « Cela, au moins,
c'est une femme ! » pensait-il.

Elle le regardait, gigantesque devant la cheminée, campé sur ses cuisses solides comme des
troncs d'arbre. Les flammes faisaient luire ses
bottes rouges et scintiller sa boucle de ceinture.

Elle se leva, et il l'attira contre lui.

« Ah ! ma cousine, dit-il. Si c'était moi qu'on
vous eût fait épouser... ou bien si vous m'aviez
choisi pour amant en place de ce jeune niais
d'écuyer, les choses ne se seraient point passées
de même pour vous... et nous aurions été bien
heureux.

— Peut-être », murmura-t-elle.

Il la tenait aux reins, et il avait l'impression
que dans un instant elle ne serait plus capable
de penser.

« Il n'est pas trop tard, Marguerite, murmura-t-il.

— Peut-être pas..., répondit-elle d'une voix étouffée, consentante.

— Alors délivrons-nous d'abord de cette lettre
à écrire, pour n'être plus ensuite occupés que de
nous aimer. Faisons monter le chapelain qui attend en bas... »

Elle se dégagea d'un bond, les yeux brillants de colère.

« Il attend en bas, vraiment ? Ah ! mon cousin, m'avez-vous crue si sotte que de me laisser prendre à vos câlineries ? Vous venez d'en user avec moi comme les catins font d'ordinaire avec les hommes, leur irritant les sens pour les mieux soumettre à leurs volontés. Mais vous oubliez qu'à ce métier-là les femmes sont plus fortes, et vous n'y êtes qu'un apprenti. »

Elle le défiait, nerveuse, dressée, et renouait le col de sa chemise.

Il l'assura qu'elle se trompait du tout, qu'il ne souhaitait que son bien, qu'il était sincèrement épris d'elle...

Marguerite le considérait d'un air narquois. Il la reprit dans ses bras, encore que maintenant elle se défendît, et la porta vers le lit.

« Non, je ne signerai point ! criait-elle. Violez-moi si vous le voulez, car vous êtes trop lourd pour que je puisse résister ; mais je dirai au chapelain, je dirai à Bersumée, je ferai savoir à Marigny quel bel ambassadeur vous faites, et comment vous avez abusé de moi. »

Il la lâcha, furieux.

« Jamais, entendez-vous, poursuivit-elle, vous ne me ferez avouer que ma fille n'est pas de Louis, parce que si Louis venait à mourir, ce que je souhaite de toute mon âme, alors c'est ma fille qui deviendrait la reine de France, et il faudrait bien compter avec moi, comme reine mère. »

D'Artois resta interdit un instant. « Elle pense droit, la fieffée garce, se dit-il, et le sort pourrait lui donner raison... » Il était maté.

« C'est petite chance que vous courez là, répliqua-t-il enfin.

— Je n'en ai point d'autre ; je la garde.

— Comme vous voudrez, ma cousine », dit-il en gagnant la porte.

Son échec lui avait mis la rage au cœur. Sans autre adieu, il dévala l'escalier et trouva le chapelain, cramoisi de froid sous ses cheveux beiges, qui battait la semelle, ses plumes d'oies à la main.

« Vous êtes un bel âne, mon petit frère, lui cria-t-il, et je ne sais point diable où vous découvrez des faiblesses chez vos pénitentes ! »

Puis il appela :

« Ecuyers ! Aux chevaux ! »

Bersumée surgit, toujours coiffé de son chapeau de fer.

« Monseigneur, souhaitez-vous visiter la place ?

— Grand merci. Ce que j'en ai vu me suffit.

— Les ordres, Monseigneur ?

— Quels ordres ? Obéis à ceux que tu as reçus. »

On amenait à d'Artois son cheval, et Lormet déjà présentait l'étrier.

« Et la dépense du repas, Monseigneur ? demanda encore Bersumée.

— Tu te la feras compter par messire de Marigny. Allez, abaissez le pont ! »

D'un coup de reins, d'Artois se mit en selle et enleva sa monture de pied ferme au galop. Suivi de son escorte, il franchit le corps de garde. Bersumée, sourcils joints, bras ballants, regarda la chevauchée dévaler vers la Seine dans un grand jaillissement de boue.

IV

SAINT-DENIS

Les flammes de centaines de cierges, disposés en buissons autour des piliers, projetaient leurs lueurs mouvantes sur les tombeaux des rois. Les longs gisants de pierre semblaient parcourus de frémissements, comme en rêve, et l'on eût dit une armée de chevaliers endormis par magie au milieu d'une forêt en feu.

Dans la basilique de Saint-Denis, nécropole royale, la cour assistait à l'ensevelissement de Philippe le Bel. Faisant face à la nouvelle tombe, toute la tribu capétienne, en vêtements sombres et somptueux, se tenait alignée dans la nef centrale : princes du sang, pairs laïcs, pairs ecclésiastiques, membres du Conseil étroit, grands aumôniers, connétables, dignitaires [1] *.

---

* Les numéros dans le texte renvoient aux « Notes historiques » en fin de volume où le lecteur trouvera également le « Répertoire biographique » des personnages.

Accompagné de cinq officiers de l'hôtel, le souverain maître de la maison du roi s'avança d'un pas solennel au bord du caveau où le cercueil était déjà descendu ; il jeta dans la fosse le bâton sculpté qui était l'insigne de sa charge, et prononça la formule qui marquait officiellement le passage d'un règne à l'autre :

« Le roi est mort ! Vive le roi ! »

L'assistance aussitôt répéta :

« Le roi est mort ! Vive le roi ! »

Et ce cri de cent poitrines, répercuté de travée en travée, d'ogive en ogive, alla rouler longuement dans les hauteurs des voûtes.

Le prince aux yeux fuyants, aux épaules étroites et à la poitrine creuse qui, en cette minute, devenait le roi de France, éprouva une étrange sensation dans la nuque, comme si des étoiles venaient d'y éclater. L'angoisse le saisit, au point qu'il craignit de tomber en défaillance.

A sa droite, ses deux frères, Philippe, comte de Poitiers, et Charles, qui n'avait pas encore d'apanage, regardaient intensément la tombe.

A sa gauche se tenaient ses deux oncles, le comte de Valois et le comte d'Evreux, deux hommes de forte carrure. Le premier avait franchi la quarantaine, le second en approchait.

Le comte d'Evreux était assailli d'images anciennes. « Il y a vingt-neuf ans, nous étions trois fils nous aussi, à cette même place, devant la fosse de notre père... Et voilà maintenant que le premier de nous s'en va. La vie est déjà passée. »

Son regard se posa sur le gisant immédiatement voisin, qui était celui du roi Philippe III. « Père, pria intensément Louis d'Evreux, accueillez dans l'autre royaume mon frère Philippe, car il vous a bien succédé. »

Plus loin, se trouvaient la tombe de saint Louis et les lourdes effigies des grands ancêtres. De l'autre côté de la nef, on apercevait les espaces vides qui s'ouvriraient un jour pour le jeune homme, dixième à porter le nom de Louis, qui accédait au trône, et après lui, règne après règne, pour tous les rois futurs. « Il y a de la place encore pour beaucoup de siècles », pensa Louis d'Evreux.

Mgr de Valois, les bras croisés, le menton haut, observait toute chose et veillait à ce que la cérémonie se déroulât comme elle devait.

« Le roi est mort ! Vive le roi !... »

Cinq fois encore, le cri retentit à travers la basilique, à mesure que défilaient, jetant leur bâton de fonction, les maîtres de l'hôtel. Le dernier bâton rebondit sur le cercueil, et le silence tomba.

Louis X fut pris à ce moment d'un violent accès de toux qu'il ne put, quelque effort qu'il fît, dominer. Un flux de sang lui vint aux joues, et il demeura une bonne minute secoué par sa quinte, comme s'il allait cracher l'âme devant la tombe de son père.

Les assistants se regardèrent ; les mitres se penchèrent vers les mitres, et les couronnes vers les couronnes ; il y eut des chuchotements d'inquiétude et de pitié. Chacun pensait : « Et si celui-là aussi mourait dans quelques semaines ? »

Parmi les pairs laïcs, la puissante comtesse Mahaut d'Artois, haute, large, couperosée, observait son neveu Robert, dont les mâchoires émergeaient au-dessus de tous les fronts. Elle se de-

mandait pourquoi, la veille, il était arrivé à
Notre-Dame, au beau milieu de l'office funèbre,
la barbe pas rasée et crotté jusqu'aux reins. D'où
venait-il, qu'était-il allé faire ? Dès que Robert
apparaissait, il y avait de l'intrigue dans l'air. Il
semblait fort en cour, ces temps-ci, ce qui ne laissait pas d'inquiéter Mahaut, elle-même tenue en
défaveur depuis que ses deux filles étaient enfermées, l'une à Dourdan, l'autre à Château-Gaillard.

Entouré des légistes du Conseil, Enguerrand
de Marigny, coadjuteur du souverain qu'on en-
terrait, portait un deuil de prince. Marigny était
de ces rares hommes qui peuvent avoir la certitude d'être entrés en leur vivant dans l'Histoire, parce qu'ils l'ont faite. « Sire Philippe, mon
roi... », songeait-il en s'adressant au cercueil.
« Tant de journées où nous avons travaillé côte
à côte ! Nous pensions de même en toutes choses. Nous avons commis des erreurs, nous les
avons corrigées... Dans vos derniers jours, vous
vous êtes un peu éloigné de moi, parce que votre
esprit était affaibli et que les envieux cherchaient à nous séparer. Je vais être tout seul à
l'ouvrage, maintenant. Je vous jure de bien défendre ce que nous avons accompli ensemble. »

Il fallait à Marigny se représenter sa prodi-
gieuse carrière, considérer d'où il était parti et
où il était parvenu, pour mesurer en cet instant
sa puissance à la fois et sa solitude. « L'œuvre de
gouverner n'est jamais achevée », se disait-il. Il
y avait de la ferveur chez ce grand politique, et
vraiment il pensait au royaume comme un second
roi.

L'abbé de Saint-Denis, Egidius de Chambly, à
genoux au bord de la fosse, traça un dernier
signe de croix, puis se releva, et six moines pous-
sèrent la lourde pierre plate qui devait fermer
le tombeau.

Plus jamais Louis de Navarre, à présent
Louis X, n'entendrait la terrible voix de son père
lui dire, pendant les conseils :

« Taisez-vous, Louis ! »

Mais loin d'être délivré, il éprouvait une faiblesse panique. Il sursauta, parce que l'on prononçait à côté de lui :

« Allez, Louis ! »

C'était Charles de Valois qui l'invitait à avancer. Louis X se tourna vers son oncle et murmura :

« Vous l'avez vu devenir roi. Qu'a-t-il fait ?
Qu'a-t-il dit ?

— Il a pris sa charge d'un coup », répondit
Charles de Valois.

« Et il avait dix-huit ans... sept ans de moins
que moi », pensa Louis X. Tous les regards
étaient arrêtés sur lui. Il eut à fournir un effort
pour marcher. A sa suite, la tribu capétienne,
princes, pairs, barons, prélats, dignitaires, entre
les buissons de cierges et les gisants des rois,
traversa la sépulture de famille. Les moines de
Saint-Denis fermaient le cortège, les mains dans
les manches et chantant un psaume.

On passa ainsi de la basilique dans la salle
capitulaire de l'abbaye où était servi le repas qui
clôturait les funérailles...

« Sire, dit l'abbé Egidius, nous ferons désormais deux prières, l'une pour le roi que Dieu

nous a pris, l'autre pour celui qu'il nous donne.

— Je vous en remercie, mon père », dit Louis X d'une voix mal assurée.

Puis il s'assit avec un soupir de lassitude et demanda aussitôt un gobelet d'eau qu'il vida d'un trait. Durant tout le repas il resta silencieux. Il se sentait fiévreux, fourbu d'âme et de corps.

« Il faut être robuste pour être roi », disait autrefois Philippe le Bel à ses fils, lorsque ceux-ci rechignaient aux exercices équestres ou à l'apprentissage des armes. « Il faut être robuste pour être roi », se répétait Louis X en ce premier moment de son règne. Chez lui la fatigue engendrait l'irritation, et il pensait avec humeur que celui qui héritait d'un trône eût bien dû hériter aussi la force de s'y tenir droit.

De fait, ce que le cérémonial exigeait du souverain, pour son entrée en fonctions, était proprement accablant.

Louis, après avoir assisté à l'agonie de son père, avait eu à prendre ses repas pendant deux jours auprès du cadavre embaumé. En effet, le principe royal ne souffrant ni chevauchement ni césure dans son incarnation, le roi mort était supposé régner jusqu'à son ensevelissement, et son successeur, à côté de sa dépouille, mangeait en quelque sorte *pour* lui, à sa place.

Plus encore que la présence de la grande forme cireuse, vidée de ses entrailles et revêtue des vêtements d'apparat, avait été pénible pour Louis la vue du cœur de son père, placé près de la couche funéraire dans un coffret de cristal et de bronze doré. Chacun qui voyait ce cœur, les artères tranchées à ras, derrière la vitre, demeurait stupéfait de sa petitesse ; « un cœur d'enfant... ou d'oiseau », murmuraient les visiteurs. Et l'on avait peine à croire qu'un si minuscule viscère eût animé un si terrible monarque [2].

Puis s'était effectué le transport du corps, par voie d'eau, de Fontainebleau à Paris ; puis, dans la capitale même, s'étaient succédé chevauchées, veilles, offices religieux et processions interminables, tout cela par un affreux temps d'hiver où l'on pataugeait dans la boue glacée, où un vent sournois vous coupait la poitrine, où une mauvaise petite neige vous giflait le visage.

Louis X enviait son oncle Valois, qui, constamment à ses côtés, décidant de tout, tranchant des problèmes de préséance, infatigable, volontaire, semblait, lui, avoir des nerfs de roi.

Déjà, parlant à l'abbé Egidius, Valois commençait à s'inquiéter du sacre de Louis, qui prendrait place l'été suivant. Car l'abbaye de Saint-Denis avait la garde non seulement des tombes royales, non seulement de la bannière de France, mais aussi des vêtements et attributs portés par les rois lors du couronnement. Valois tenait à savoir si tout était en ordre. Le grand manteau, depuis vingt-neuf ans, n'avait-il pas subi de dommages ? Les écrins, pour transporter à Reims le sceptre, les éperons et la main de justice, étaient-ils en bon état ? Et la couronne d'or ? Il faudrait que les orfèvres au plus tôt missent la coiffe à la nouvelle mesure.

L'abbé Egidius observait le jeune roi que la toux continuait de secouer, et pensait : « Certes, on va tout préparer ; mais tiendra-t-il jusque-là ? »

Quand le repas fut achevé, Hugues de Bouville, grand chambellan de Philippe le Bel, vint casser devant Louis X son bâton doré, et signifier par là qu'il avait terminé son office. Le gros Bouville avait les yeux emplis de larmes ; ses mains tremblaient, et il dut s'y prendre à trois fois pour briser son sceptre de bois, image et délégation du grand sceptre d'or. Puis, au premier chambellan de Louis, Mathieu de Trye, qui allait lui succéder dans la fonction, il murmura :

« A vous maintenant, messire. »

Alors la tribu capétienne sortit de table et se dirigea vers la cour où attendaient les montures.

Dehors, la foule était maigre, pour crier : « Vive le roi ! » Les gens s'étaient assez gelés, la veille, à regarder le grand cortège qui comprenait les troupes, le clergé de Paris, les maîtres de l'Université, les corporations ; celui d'aujourd'hui n'offrait plus rien qui pût émerveiller. Il tombait une sorte de grésil qui perçait les vêtements jusqu'à la peau ; et seuls saluaient le nouveau roi quelques acharnés de la badauderie, ou les rivevains qui pouvaient crier du pas de leur porte sans se mouiller.

Depuis l'enfance, le Hutin attendait de régner. A chaque semonce, échec ou contrariété que lui attirait sa médiocrité d'esprit et de caractère, il se disait rageusement : « Le jour où je serai roi... » Et cent fois, il avait souhaité que le sort hâtât la disparition de son père.

Or, voilà que sonnait l'heure qui l'exauçait ; voilà qu'il venait d'être proclamé. Il sortait de Saint-Denis... Mais rien ne l'avertissait, intérieurement, qu'aucun changement se fût produit en lui. Il se sentait seulement plus faible que la veille, et pensait davantage à ce père qu'il avait si peu aimé.

La tête basse, les épaules frissonnantes, il poussait son cheval entre les champs déserts où des restes de chaume perçaient des restes de neige. Le crépuscule s'assombrissait rapidement. A la porte de Paris, le cortège fit halte pour permettre aux archers d'escorte d'allumer des torches.

Le peuple de la capitale ne fut guère plus enthousiaste que celui de Saint-Denis. Quelles raisons d'ailleurs aurait-il eu de se montrer joyeux ? L'hiver précoce entravait les transports et multipliait les décès. Les dernières récoltes avaient été mauvaises ; les denrées enchérissaient à mesure qu'elles se raréfiaient ; il y avait de la disette dans l'air. Et le peu qu'on connaissait du nouveau roi n'incitait pas à l'espoir.

On le disait brouillon, querelleur et cruel ; et le public, qui déjà le désignait par son surnom, ne pouvait citer de lui aucun acte important ou généreux. Sa seule renommée lui venait de son infortune conjugale.

« C'est à cause de cela que le peuple ne me témoigne point d'affection, se disait Louis X ; à cause de cette catin qui m'a bafoué devant tous... Mais s'ils ne veulent point m'aimer, je ferai tant qu'ils trembleront et crieront Noël en me voyant comme s'ils m'aimaient bien fort. Et d'abord je veux reprendre épouse, avoir une reine à côté de moi... pour que mon déshonneur soit effacé. »

Hélas ! Le rapport que lui avait fait la veille son cousin Robert d'Artois, retour de Château-

Gaillard, ne laissait pas paraître l'entreprise aisée.
« La garce cédera ; je la ferai mettre à tels régime et tourments qu'elle cédera ! »

Comme il s'était dit dans le petit peuple que le roi jetterait des pièces de monnaie sur son passage, des groupes de pauvres se tenaient au coin des rues. Les torches des archers éclairaient un instant leurs visages maigres, leurs yeux avides et leurs mains tendues. Mais aucune piécette ne tomba.

Par le Châtelet et le Pont au Change, le cortège atteignit ainsi le palais de la Cité.

La comtesse Mahaut donna le signal de la dispersion en déclarant que chacun avait maintenant besoin de chaleur et de repos et qu'elle rentrait à l'hôtel d'Artois. Prélats et barons prirent chacun le chemin de sa demeure. Les frères du nouveau roi eux-mêmes se retirèrent. Si bien que lorsqu'il eut mis pied à terre, Louis X ne se trouva plus entouré, en dehors de ses serviteurs et écuyers personnels, que par ses deux oncles Evreux et Valois, Robert d'Artois, Marigny et Mathieu de Trye.

Ils passèrent par la Galerie mercière, immense et presque déserte à cette heure. Quelques marchands, qui finissaient de cadenasser leurs éventaires, ôtèrent leur bonnet.

Le Hutin avançait lentement, les jambes raides dans des bottes trop lourdes, le corps chaud de fièvre. Il regardait, à sa droite, à sa gauche, les quarante statues de rois, haut placées sur de larges consoles sculptées, et que Philippe le Bel avait choisi de dresser là, dans le vestibule de l'habitation royale, telles des répliques debout des gisants de Saint-Denis, afin que le souverain vivant apparût à chaque visiteur comme le continuateur d'une race sacrée, désignée par Dieu pour exercer le pouvoir.

Cette colossale famille de pierre, aux yeux blancs sous la lueur des torches, ne faisait qu'accabler davantage le pauvre prince de chair qui en recueillait la succession.

Un mercier dit à sa femme :

« Il n'a pas bien fière mine, notre nouveau roi. »

La marchande, en ricanant, répondit :

« Il a surtout une bonne mine de cocu. »

Elle n'avait pas parlé fort, mais sa voix aiguë résonna dans le silence. Le Hutin tressaillit, la face brusquement coléreuse, cherchant à distinguer l'auteur de l'insulte. Chacun, dans l'escorte, détournait les yeux et feignait de n'avoir pas entendu.

De part et d'autre de l'arc en accolade qui surmontait l'accès à l'escalier principal, se faisaient pendant les statues de Philippe le Bel et d'Enguerrand de Marigny ; car le coadjuteur connaissait cet honneur unique d'avoir son effigie dans la galerie des rois. Honneur justifié au demeurant par le fait que la reconstruction et l'embellissement du Palais étaient essentiellement son œuvre.

Or, la statue d'Enguerrand irritait plus que tout Charles de Valois qui, chaque fois qu'il avait à passer devant, s'indignait de ce qu'on eût élevé jusque-là ce bourgeois. « L'astuce et l'intrigue l'ont conduit à tant d'impudence qu'il se donne des airs d'être de notre sang. Mais tout beau, messire, pensait Valois ; nous vous descendrons de ce socle, j'en fais serment, et nous vous apprendrons bien vite que le temps de vos mauvaises grandeurs est passé. »

« Messire Enguerrand, dit-il avec hauteur à son ennemi, je pense que le roi désire à présent demeurer en famille. »

Marigny, afin d'éviter un éclat, ne fit pas montre d'avoir senti le trait. Mais voulant bien signifier, en revanche, qu'il ne prendrait ses ordres que du roi, il dit, s'adressant à ce dernier :

« Sire, maintes affaires sont pendantes qui me requièrent. Puis-je me retirer ? »

Louis avait la pensée ailleurs ; le mot lancé par la mercière lui tournait en tête.

« Faites, messire, faites », répondit-il avec impatience.

V

LE ROI, SES ONCLES ET LES DESTINS

LA mère de Louis X, la reine Jeanne, héritière
de la Navarre, était morte en 1305. A partir de
1307, c'est-à-dire du moment où, âgé de dix-huit
ans, il avait été investi officiellement de la couronne navarraise, Louis avait reçu l'hôtel de
Nesle pour résidence personnelle. Jamais donc
il n'avait habité le Palais depuis les rénovations
ordonnées par son père, dans les récentes années.

Aussi, ce soir de décembre, au retour de Saint-
Denis, Louis, entrant dans les appartements
royaux pour en prendre possession, n'y trouvait
rien qui lui rappelât son enfance. Aucune cas-
sure du pavement, connue de toujours, aucun
grincement particulier à telle porte, et de toujours entendu, ne pouvait l'émouvoir ou l'atten-

drir ; son regard ne rencontrait rien qui lui per-
mît de se dire : « Ma mère devant cette cheminée
me prenait sur ses genoux... de cette fenêtre, j'ai
aperçu le printemps pour la première fois... »
Les fenêtres avaient d'autres proportions, les che-
minées étaient neuves.

Souverain économe, presque avare en ce qui
concernait sa dépense personnelle, Philippe le
Bel ne connaissait pas de mesure quand il s'agissait de magnifier l'idée royale. Il avait voulu que
le Palais fût imposant, écrasant, d'intérieur comme d'extérieur, et fît équilibre en quelque sorte,
au cœur de la capitale, à Notre-Dame. Là-bas, la
grandeur de l'Eglise ; ici, la grandeur de l'Etat ;
là-bas, la gloire de Dieu ; ici, celle du roi.

Pour Louis, c'était la demeure du père, un père
silencieux, distant, terrible. De toutes les pièces,
la seule familière lui paraissait la chambre du
Conseil, où tant de fois, à peine osait-il un avis,
il avait entendu : « Taisez-vous, Louis ! »

Il avançait de salle en salle. Des valets, feutrant
leurs pas, glissaient le long des murs ; des secrétaires s'effaçaient dans les escaliers ; tout le
monde observait encore un silence de veillée mor-
tuaire.

Ce fut dans la pièce où Philippe le Bel se tenait d'ordinaire pour travailler que Louis fina-
lement s'arrêta. Elle était de dimensions mo-
destes, mais avec une énorme cheminée où brûlait un feu à faire rôtir un bœuf. Pour qu'on pût
profiter de la chaleur sans souffrir de l'ardeur
des flammes, des écrans d'osier tressé, qu'un valet venait mouiller de temps à autre, étaient disposés devant le foyer. Des chandeliers en forme

de couronne, à six chandelles, fournissaient une bonne lumière.

Louis se dépouilla de sa robe, qu'il posa sur l'un des écrans. Ses oncles, son cousin et son chambellan l'imitèrent ; bientôt les lourdes étoffes trempées d'eau, les velours, les fourrures, les broderies, se mirent à fumer, tandis que les cinq hommes, en chemise et hauts-de-chausses, se chauffaient reins au feu, pareils à cinq paysans rentrant d'un enterrement de campagne.

Soudain, de l'angle où se trouvait la table à écrire de Philippe le Bel, vint un long soupir, presque un gémissement. Louis X s'écria d'une voix aiguë :

« Qu'est ceci ?

— C'est Lombard, Sire, dit le valet chargé de mouiller les écrans.

— Lombard ? Mais ce chien était à Fontainebleau, avec la meute. Comment est-il parvenu ici ?

— De lui-même, il faut croire, Sire. Il est rentré tout crotté la nuit d'avant-hier, en même temps qu'on amenait le corps de notre feu Sire à Notre-Dame. Il est allé se mucher sous ce meuble et n'en veut plus bouger.

— Qu'on le chasse ; qu'on l'enferme aux écuries ! »

A l'opposé de son père, Louis détestait les chiens ; il en avait peur depuis qu'enfant il avait été mordu par l'un d'eux.

Le valet se baissa et tira par le collier un grand lévrier beige, au poil collé sur les côtes, aux yeux fiévreux.

C'était le chien, cadeau du banquier Tolomei, qui n'avait pas quitté le roi Philippe pendant les derniers mois. Comme il résistait à partir, raclant le pavage de ses ongles, Louis X lui allongea un coup de pied dans le flanc.

« Cet animal porte malheur. D'abord il est arrivé ici le jour où l'on a brûlé les Templiers, le jour où... »

Des voix s'élevèrent dans la pièce voisine. Le valet et le chien croisèrent sur la porte une petite fille, engoncée dans une robe de deuil, et qu'une dame de parage poussait en disant :

« Allez, Madame Jeanne ; allez saluer Messire le roi, votre père. »

Cette petite fille d'à peine quatre ans, aux joues pâles, aux yeux trop grands, était pour l'instant l'héritière du trône de France.

Elle avait le front rond et bombé de Marguerite de Bourgogne, mais son teint et ses cheveux étaient clairs. Elle avançait, regardant droit devant elle avec cette expression butée qu'ont les enfants mal aimés.

Louis X, d'un geste, empêcha qu'elle vînt jusqu'à lui.

« Pourquoi l'a-t-on conduite ici ? Je ne veux point l'y voir ! Qu'on la ramène sans tarder à l'hôtel de Nesle ; c'est là qu'elle doit loger, puisque c'est là...

— Mon neveu, contenez-vous », dit le comte d'Evreux.

Louis attendit que la dame de parage et la petite princesse, la première apparemment plus effrayée que l'autre, fussent sorties.

« Je ne veux plus voir cette bâtarde ! dit-il.

— Etes-vous si certain qu'elle le soit, Louis ?
dit le comte d'Evreux en éloignant du feu ses
vêtements pour qu'ils ne roussissent pas.

— Il suffit pour moi qu'il y ait doute, et je
ne veux rien reconnaître d'une femme qui m'a
trahi.

— Cette enfant est blonde, pourtant, comme
nous le sommes tous.

— Philippe d'Aunay lui aussi était blond », répliqua amèrement le Hutin.

Le comte de Valois vint porter appui au jeune
roi.

« Louis doit avoir de bonnes raisons, mon frère,
pour parler comme il le fait, dit-il avec autorité.

— Et puis, reprit Louis X en criant, je ne veux
plus entendre ce mot qu'on m'a lancé tout à
l'heure au passage ; je ne veux plus le deviner
sans cesse dans la tête des gens ; je ne veux plus
donner d'occasions qu'on le pense en me regardant. »

Louis d'Evreux se retint de répondre : « Si tu
avais meilleure nature, mon garçon, et plus de
bonté au cœur, ta femme t'eût peut-être aimé... »
Il songeait à la malheureuse petite fille qui allait vivre, entourée seulement de serviteurs indif-
férents, dans l'immense hôtel de Nesle désert.
Et soudain, il entendit Louis prononcer :

« Ah ! je vais être bien seul ici ! »

D'Evreux, avec une stupéfaction apitoyée, con-
templa ce neveu qui conservait ses ressenti-
ments comme un avare son or, chassait les chiens
parce qu'il avait été mordu, chassait sa fille parce
qu'il avait été trompé, et se plaignait de solitude.

« Toute créature est seule, Louis, dit-il gravement. Chacun de nous subit dans la solitude l'instant de son trépas ; et c'est vanité de croire qu'il
n'en est pas ainsi des instants de la vie. Même
le corps d'épouse avec lequel nous dormons demeure un corps étranger ; même les enfants
que nous avons engendrés nous sont personnes
étrangères. Sans doute le Créateur l'a voulu ainsi
pour que nous n'ayons chacun communion
qu'avec lui et tous ensemble qu'en lui... Il n'est
de remède à cet isolement que dans la compassion et la charité, c'est-à-dire dans le savoir que
les autres souffrent même mal que nous. »

Les cheveux humides et pendants, le regard vague, la chemise collée sur ses flancs maigres, le
Hutin avait l'air d'un noyé qu'on vient de sortir
de Seine. Il resta un moment silencieux. Certains
mots, comme ceux justement de charité ou de
compassion, ne faisaient pas de sens pour lui,
et il ne les entendait guère plus que le latin des
prêtres. Il se tourna vers Robert d'Artois.

« Ainsi, Robert, vous êtes certain qu'elle ne
cédera pas ? »

Le géant, toujours à se sécher, et dont les
chausses fumaient comme un chaudron, secoua
la tête.

« Sire mon cousin, comme je vous l'ai dit hier
soir, j'ai pressé votre épouse de toutes manières,
et usé sur elle mes plus solides arguments. Je
me suis heurté à telle dureté de refus que je puis
bien vous assurer qu'on n'en obtiendra rien...
Savez-vous sur quoi elle compte ? ajouta d'Artois
avec perfidie. Elle espère que vous mourrez avant
elle. »

Louis X toucha instinctivement, à travers sa chemise, le petit reliquaire qu'il portait au cou ; puis, s'adressant au comte de Valois :

« Eh bien ! mon oncle, vous voyez que tout n'est point aisé comme vous l'aviez promis, et que l'annulation ne paraît pas pour demain !

— Je le vois, mon neveu, et j'y pense fort, répondit Valois.

— Mon cousin, si vous craignez de jeûner, dit alors Robert d'Artois, je pourrai toujours fournir votre couche de douces femelles, que la vanité de servir aux plaisirs d'un roi rendront bien accueillantes... »

Il parlait de cela avec gourmandise, comme d'un rôti à point ou d'un bon plat en sauce.

Charles de Valois agita ses doigts chargés de bagues.

« Mais d'abord, à quoi vous servirait-il, Louis, d'avoir votre mariage annulé, dit-il, tant que vous n'aurez pas choisi la nouvelle femme que vous voulez épouser ? Ne vous inquiétez point tant de cette annulation ; un souverain finit toujours par l'obtenir. Ce qu'il vous faut, c'est choisir dès à présent l'épouse qui fera auprès de vous belle figure de reine et vous donnera descendance. »

Mgr de Valois avait cette manière, quand un obstacle se présentait, de le mépriser et de sauter aussitôt à la prochaine étape ; à la guerre, il négligeait les îlots de résistance, les contournait et allait attaquer la citadelle suivante. Cela lui réussissait parfois.

« Mon frère, dit d'Evreux, croyez-vous donc la chose si aisée, dans la situation où se trouve

Louis, et s'il ne veut pas prendre femme qui soit indigne d'un trône ?

— Allons donc ! Je vous nomme dix princesses en Europe qui passeraient sur de plus grandes difficultés pour l'espoir de ceindre la couronne de France... Tenez, sans chercher davantage, ma nièce Clémence de Hongrie... », dit Valois comme si l'idée venait de germer en lui alors qu'il la mûrissait depuis une bonne semaine.

Il attendit que sa proposition ait produit effet. Le Hutin avait relevé la tête, intéressé.

« Elle est de notre sang puisqu'elle est Anjou, poursuivit Valois. Son père, Carlo-Martello, qui avait renoncé au trône de Naples-Sicile pour revendiquer celui de Hongrie, est mort depuis longtemps ; c'est sans doute pourquoi elle n'a pas encore d'état. Mais son frère Caroberto règne maintenant en Hongrie et son oncle est roi de Naples. Certes, elle a un peu dépassé l'âge ordinaire du mariage...

— Quel âge a-t-elle ? demanda Louis X inquiet.

— Vingt-deux ans. Mais cela ne vaut-il pas mieux que ces fillettes qu'on amène à l'autel alors qu'elles jouent encore à la poupée et qui, lorsqu'elles grandissent, se révèlent pleines de vilenie, mensongères et débauchées ? Et puis, mon neveu, vous n'en serez plus à vos premières noces ! »

« Tout cela sonne trop bien ; il doit y avoir un vice qu'on me cache, pensait le Hutin. Cette Clémence doit être borgne, ou bien bossue. »

« Et comment se présente-t-elle... pour la figure ? demanda-t-il.

— Mon neveu, c'est la plus belle femme de

Naples, et les peintres, m'assure-t-on, s'efforcent d'imiter ses traits lorsqu'ils peignent aux églises le visage de la Vierge. Déjà dans son enfance, il m'en souvient, elle promettait d'être remarquable en beauté, et tout laisse à penser qu'elle a tenu promesse.

— Il paraît, en effet, qu'elle est fort belle, dit Louis d'Evreux.

— Et vertueuse, ajouta Valois. J'attends qu'on retrouve en elle toutes les qualités qui ornaient sa tante Marguerite d'Anjou, ma première femme, que Dieu garde. J'ajouterai... mais qui de vous l'ignore ?... qu'un autre de ses oncles, et mien beau-frère, Louis d'Anjou, fut ce saint évêque de Toulouse qui avait renoncé à régner pour entrer en religion, et dont la tombe à présent produit des miracles.

— Ainsi nous aurons bientôt deux saints Louis dans la famille, remarqua Robert d'Artois.

— Mon oncle, votre idée est heureuse, cela me semble, dit Louis X. Fille de roi, sœur de roi, nièce de roi et de saint, belle et vertueuse... Ah ! Elle n'est point brune au moins, comme la Bourguignonne ? Çar alors je ne pourrais point !

— Non, non, mon neveu, s'empressa de répondre Valois. Soyez sans crainte ; elle est blonde, de bonne race franque.

— Et vous pensez, Charles, que cette famille, pieuse ainsi que vous la décrivez, irait consentir aux fiançailles avant l'annulation ? » demanda Louis d'Evreux.

Mgr de Valois se gonfla, torse et panse.

« Je suis trop bon allié de mes parents de Naples pour qu'ils aient rien à me refuser, répli-

qua-t-il ; et les deux entreprises peuvent se conduire de pair. La reine Marie, qui a jadis tenu
à honneur de me donner une de ses filles, m'ac-
cordera bien sa petite-fille pour le plus cher de
mes neveux, et pour qu'elle soit reine au plus
beau royaume du monde. J'en fais mon affaire.

— Alors ne laissons pas d'agir, mon oncle, dit
Louis X. Envoyons une ambassade à Naples.
Qu'en pensez-vous, Robert ? »

Robert d'Artois s'avança d'un pas, paumes ouvertes, comme s'il se proposait à partir sur-le-
champ pour l'Italie.

Le comte d'Evreux intervint encore. Il n'avait
aucune hostilité au projet ; mais pareille décision était affaire de royaume autant que de famille, et il demandait qu'elle soit débattue en
Conseil.

« Mathieu, dit aussitôt Louis X s'adressant à
son chambellan, faites savoir à Marigny qu'il ait
à convoquer le Conseil demain matin. »

A s'écouter prononcer ces paroles, le Hutin
éprouva un certain plaisir ; brusquement il se
sentait roi.

« Pourquoi Marigny ? dit Valois. Je puis bien,
si vous le souhaitez, m'en charger moi-même ou
en charger mon chancelier. Marigny cumule trop
de tâches et prépare hâtivement des Conseils qui
n'ont rôle que de l'approuver, sans regarder de
bien près ses trafics. Mais nous allons changer
cela, Sire mon neveu, et je m'en vais vous réunir un Conseil mieux digne de vous servir.

— C'est fort juste. Eh bien, faites, mon oncle,
faites ainsi », répondit Louis X avec un regain
d'assurance et comme si l'initiative venait de lui.

Les vêtements étaient secs, et chacun se rhabilla.

« Belle et vertueuse, belle et vertueuse... », se répétait Louis X. Il fut à ce moment repris d'un accès de toux, et entendit à peine les adieux qu'on lui faisait.

Descendant l'escalier, d'Artois dit à Valois :

« Ah ! mon cousin, comme vous la lui avez bien vendue, votre nièce Clémence ! J'en connais un ce soir que ses draps vont brûler.

— Robert ! fit Valois d'un ton de feinte réprimande ; n'oubliez pas que c'est du roi que vous parlez désormais. »

Le comte d'Evreux les suivait en silence. Il songeait à la princesse qui vivait dans un château de Naples et dont le sort, à son insu, venait peut-être de se décider aujourd'hui. Mgr d'Evreux était toujours frappé de la manière fortuite, mystérieuse, dont s'agençaient les destinées humaines.

Parce qu'un grand souverain était mort avant son heure, parce qu'un jeune roi supportait mal le célibat, parce que son oncle était impatient de le satisfaire pour affirmer l'empire qu'il exerçait sur lui, parce qu'un nom lancé avait été retenu, une jeune fille aux cheveux blonds et qui, à cinq cents lieues de distance, devant une mer éternellement bleue, pensait vivre un jour comme les autres, se trouvait devenir le centre des préoccupations de la cour de France...

Louis d'Evreux eut un nouvel accès de scrupule.

« Mon frère, dit-il à Valois, cette petite Jeanne, croyez-vous vraiment qu'elle soit bâtarde ?

— Aujourd'hui je n'en suis pas encore certain, mon frère, dit Valois en lui posant sur l'épaule sa main baguée. Mais je vous assure bien qu'avant longtemps tout le monde la tiendra pour telle ! »

A partir de quoi le méditatif comte d'Evreux aurait pu se dire également : « Parce qu'une princesse de France prit un amant, parce que sa belle-sœur d'Angleterre la dénonça, parce qu'un roi justicier rendit le scandale public, parce qu'un mari humilié reporta sa vindicte sur une enfant qu'il voulut déclarer illégitime... » Les conséquences appartenaient au futur, à ce déroulement d'une fatalité en constante création par la combinaison continue de la force des choses et des actes des hommes.

VI

LA LINGÈRE EUDELINE

Le ciel de lit, tendu d'un samit bleu sombre semé de fleurs de lis d'or, paraissait un morceau de firmament nocturne. Les rideaux de la courtine, faits de même étoffe, frémissaient sous le faible éclairage de la veilleuse à huile suspendue par trois chaînes de bronze [3] ; la courtepointe de brocart d'or, tombant en plis raides jusqu'au sol, scintillait de phosphorescences étranges.

Depuis deux heures, Louis X cherchait vainement le sommeil sur cette couche qui avait été celle de son père. Il étouffait sous les couvertures doublées de fourrure, et grelottait aussitôt qu'il en sortait.

Bien que Philippe le Bel fût décédé à Fontainebleau, Louis éprouvait un malaise à se trouver dans ce lit, comme s'il y percevait la présence du cadavre.

Toutes les images des dernières journées, toutes les hantises des jours à venir, s'entrechoquaient en sa pensée... Quelqu'un criait « cocu » parmi la foule ; ... Clémence de Hongrie refusait, ou bien elle était déjà fiancée ; ... l'austère visage de l'abbé Egidius se penchait sur la tombe... « Nous ferons désormais deux prières... » « Savez-vous sur quoi elle compte ? Elle espère que vous mourrez avant elle ! » ... Un coffret de cristal emprisonnait un cœur aux artères tranchées, aussi petit qu'un cœur d'agneau...

Il se releva brusquement, son propre cœur battant comme une horloge dont le poids se fût décroché. Pourtant le physicien de l'hôtel, examinant le roi avant son coucher, ne lui avait pas trouvé les humeurs mauvaises. Le sommeil réparerait une fatigue bien explicable ; si la toux persistait, on verrait le lendemain à prescrire quelque tisane au miel, ou à poser des sangsues... Mais Louis n'avait pas avoué les deux défaillances ressenties pendant la cérémonie à Saint-Denis, ce froid qui lui avait saisi les membres, et ce grand vacillement du monde autour de lui. Voilà que le même mal, auquel il ne pouvait pas donner de nom, le reprenait.

Torturé par ses hantises, le Hutin, dans une longue chemise blanche sur laquelle il avait jeté une robe fourrée, marchait à travers la chambre, comme chassé devant lui-même et comme s'il risquait, au moindre arrêt, que la vie l'abandonnât.

N'allait-il pas succomber de la même façon que son père, frappé à la tête par la main de Dieu ? « Moi aussi, pensait-il avec effroi, j'étais présent quand on a brûlé les Templiers, devant ce Palais... » Sait-on jamais la nuit qu'on doit mourir ? Sait-on jamais la nuit qu'on devient fou ? Et s'il parvenait à franchir cette abominable nuit, s'il voyait se lever la tardive aube d'hiver, dans quel état d'épuisement ne serait-il pas le lendemain pour présider son premier Conseil ? Il dirait : « Messires... » Quelles paroles, au fait, devrait-il dire ?... « Chacun de nous, mon neveu, subit dans la solitude l'instant du trépas, et c'est vanité de croire qu'il n'en est pas ainsi des instants de la vie... »

« Ah ! mon oncle, prononça tout haut le Hutin, pourquoi m'avoir dit cela ! »

Sa propre voix lui parut étrangère. Il continuait d'errer, haletant et frissonnant, autour du grand lit drapé d'ombre.

C'était ce meuble qui l'épouvantait. C'était ce lit qui était maudit, et jamais il ne parviendrait à y dormir. Le lit du mort. « Passerai-je donc ainsi toutes les nuits de mon règne à marcher en rond pour ne pas trépasser ? » se demandait-il. Mais le moyen d'aller coucher ailleurs, d'appeler ses gens pour qu'on lui préparât une autre chambre ? Où puiser le courage d'avouer : « Je ne puis loger ici parce que j'ai peur », et de se présenter aux maîtres de l'hôtel, aux chambellans, ainsi défait, tremblant et désemparé ?

Il était roi et ne savait comment régner ; il était homme et ne savait comment vivre ; il était marié et n'avait point de femme... Et si même Mme de Hongrie acceptait, combien de semaines, de mois lui faudrait-il attendre avant qu'une présence humaine vînt rassurer ses nuits ? « Et voudra-t-elle m'aimer, celle-là ? Ne fera-t-elle point comme l'autre ? »

Soudain il prit sa résolution. Il ouvrit la porte, et alla secouer le premier chambellan qui dormait tout vêtu dans l'antichambre.

« Est-ce toujours dame Eudeline qui veille au linge du Palais ?

— Oui, Sire... Je crois, Sire..., répondit Mathieu de Trye.

— Eh bien, sachez-le. Et si c'est elle, faites-la quérir aussitôt. »

Surpris, somnolent... « Il dort, lui ! » pensa le Hutin avec haine..., le chambellan demanda au roi s'il désirait qu'on changeât ses draps.

Le Hutin eut un geste d'impatience.

« Oui, c'est cela. Allez la quérir, vous dis-je ! »

Puis il rentra dans la chambre et reprit sa ronde anxieuse, en se disant : « Loge-t-elle toujours ici ? Va-t-on la trouver ? »

Dix minutes plus tard, dame Eudeline entra, portant une pile de draps, et Louis X aussitôt sentit qu'il cessait d'avoir froid.

« Monseigneur Louis... je veux dire, Sire ! s'écria la lingère. Je savais bien qu'il ne fallait point vous mettre de draps neufs. On y dort mal. C'est messire de Trye qui l'a voulu ; il affirmait que c'était l'usage. Moi, je voulais donner des draps souvent lavés et bien fins. »

C'était une grande femme blonde, épanouie, avec de larges seins, et une belle carrure nourricière qui faisait penser à la paix, à la tiédeur et au repos. Elle avait un peu plus de trente ans, mais son visage exprimait une sorte d'étonnement adolescent et tranquille. De dessous le bonnet blanc qu'elle mettait pour dormir s'échappaient de longues tresses qui avaient la couleur de l'or et qui se dénouaient sur l'épaule de son vêtement de nuit. Elle s'était hâtivement couverte d'une chape.

Louis la regarda un moment sans parler, le temps que Mathieu de Trye, prêt à se rendre utile, comprît qu'on n'avait plus besoin de lui.

« Ce n'est point pour les draps que je vous ai fait venir », dit enfin le roi.

Une douce rougeur de confusion monta aux joues de la lingère.

« Oh ! Monseigneur... Sire, je veux dire ! D'être revenu au Palais vous a-t-il fait vous souvenir de moi ?... »

Elle avait été sa première maîtresse, dix années plus tôt. Lorsque Louis, alors âgé de quinze ans, avait appris qu'on allait bientôt le marier à une princesse de Bourgogne, il avait été saisi d'une grande frénésie de découvrir l'amour, en même temps que d'une grande panique à l'idée de ne pas savoir comment se comporter auprès de son épouse. Et tandis que Philippe le Bel et Marigny pesaient les avantages politiques de cette alliance, le jeune prince ne pensait à rien d'autre qu'au mystère de nature. La nuit, il imaginait toutes les dames de la cour succombant à ses ardeurs ; mais le jour il restait muet en face d'elles, mains tremblantes et regard fuyant.

Et puis, un après-midi d'été, il s'était rué brusquement sur cette belle fille qui, le long d'une galerie déserte, allait devant lui d'un pas calme, les bras chargés de linge. Il s'était lancé contre elle avec violence, avec colère, comme s'il lui en

voulait de la peur qu'il avait. C'était elle ou aucune, maintenant ou jamais... Il ne l'avait point
violée, d'ailleurs ; son agitation, son anxiété, sa
maladresse l'en eussent rendu bien incapable. Il
avait exigé d'Eudeline qu'elle lui apprît l'amour.
A défaut d'une assurance d'homme, il entendait
user de prérogatives de prince. Il avait eu de la
chance ; Eudeline ne s'était pas moquée de lui,
et dans une pièce de resserre, elle avait mis quelque honneur à se rendre aux désirs de ce fils de
roi, lui laissant même croire qu'elle y trouvait de
l'agrément. Par la suite, il s'était toujours senti
homme devant elle.

Certains matins, lorsqu'il était à se vêtir pour
la chasse ou pour aller s'exercer aux armes de
tournoi, Louis la faisait appeler ; et Eudeline
avait vite compris que le besoin d'aimer ne lui
venait que lorsqu'il avait peur. Pendant plusieurs
mois, avant l'arrivée de Marguerite de Bourgogne, et même encore après, Eudeline avait ainsi
aidé Louis Hutin à surmonter ses terreurs.

« Votre fille, où est-elle à présent ? demanda-t-il.

— Elle demeure chez ma mère, qui l'élève. Je
n'ai point voulu qu'elle reste ici avec moi ; elle
ressemble trop à son père, répondit Eudeline en
souriant à demi.

— De celle-là, au moins, dit Louis, je puis penser qu'elle est de moi.

— Oh ! certes, Monseigneur ! Elle est bien
de vous !... Sire, je veux dire... Son visage
chaque jour est plus pareil au vôtre. Et cela
serait vous gêner que de la laisser voir aux gens du
Palais. »

Car une enfant, qui devait être baptisée Eudeline, comme sa mère, avait été conçue de ces
amours de hâte. Toute femme un peu douée
pour l'intrigue eût assuré sa fortune sur l'état
de son ventre, et fait souche de barons. Mais le
Hutin tremblait si fort d'avouer la chose au roi
Philippe, qu'Eudeline, apitoyée une fois de plus,
s'était tue.

Elle avait un mari qui, dans ce temps-là, petit
greffier de messire de Nogaret, trottait beaucoup
derrière le légiste sur les chemins de France et
d'Italie. Trouvant, au retour, sa femme près
d'accoucher, il se mit à compter les mois sur
ses doigts et commença de s'emporter. Mais ce
sont généralement des hommes de même nature
qu'une même femme attire. Le greffier ne possédait pas une âme très fortement trempée. Et
dès que sa femme lui eut confessé d'où venait le
cadeau, la crainte éteignit sa colère comme le
vent souffle une bougie. Ayant choisi de prendre
lui aussi le parti du silence, il était mort peu
après, moins de chagrin d'ailleurs que d'un per-
nicieux mal d'entrailles rapporté des marais romains.

Et dame Eudeline avait continué de surveiller
les lessives du Palais, pour cinq sous le cent de
nappes lavées. Elle était devenue première fille
lingère, ce qui dans la maison royale était une
belle position bourgeoise.

Pendant ce temps, Eudeline la petite grandis-
sait, non sans témoigner de cette disposition des
enfants adultérins à présenter d'évidence sur leurs
visages les traits hérités de leur ascendance illégitime ; et dame Eudeline espérait qu'un jour

Louis se souviendrait. Il lui avait si fort promis, si solennellement juré que du jour qu'il serait roi il couvrirait sa fille d'or et de titres !

Elle pensait, ce soir, qu'elle avait eu raison de le croire, et s'émerveillait qu'il eût mis tant de promptitude à tenir ses serments. « Il n'est point mauvais de cœur, songeait-elle. Il est hutin de manières, mais il n'est point mauvais. »

Emue par les souvenirs, par le sentiment du temps enfui, par les étrangetés du destin, elle contemplait ce souverain qui avait trouvé naguère entre ses bras le premier accomplissement d'une virilité inquiète, et qui était là, en longue chemise, assis sur une cathèdre, les cheveux tombant jusqu'au menton et les bras autour des genoux.

« Pourquoi, se disait-elle, pourquoi est-ce à moi que cela est arrivé ? »

« Quel âge a ta fille, aujourd'hui ? demanda Louis X. Neuf ans, n'est-ce pas ?

— Neuf ans tout juste, Sire.

— Je lui ferai une position de princesse aussitôt qu'elle sera en âge d'être mariée. Je le veux. Et toi, que désires-tu ? »

Il avait besoin d'elle. C'eût été l'instant ou jamais d'en profiter. La discrétion ne vaut rien avec les grands de la terre, et il faut se hâter d'exprimer un besoin, une exigence, un souhait, fût-ce à s'en inventer, lorsqu'ils se proposent à les satisfaire. Car ensuite ils se sentent déliés de reconnaissance simplement pour avoir offert, et ils négligent de donner. Le Hutin aurait volontiers passé la nuit à préciser ses largesses, pour qu'Eudeline lui tînt compagnie jusqu'à l'aube.

Mais, surprise par la question, elle se contenta de répondre :

« Ce qu'il vous plaira, Sire. »

Aussitôt il ramena ses pensées sur lui-même.

« Ah ! Eudeline, Eudeline, s'écria-t-il, j'aurais dû t'appeler à l'hôtel de Nesle où j'ai été bien en peine ces mois-ci.

— Je sais, Monseigneur Louis, que vous avez été fort mal aimé de votre épouse... Mais je n'aurais point osé venir à vous ; j'ignorais si vous auriez eu joie ou honte à me revoir. »

Il la regardait, mais ne l'écoutait plus. Ses yeux avaient pris une fixité trouble. Eudeline savait bien ce que signifiait ce regard ; elle le lui connaissait déjà quand il avait quinze ans.

« Veuille t'étendre, ordonna-t-il brusquement.

— Là, Monseigneur... je veux dire, Sire ? murmura-t-elle avec un peu d'effroi en désignant le lit de Philippe le Bel.

— Oui, là, justement ! » répondit le Hutin d'une voix sourde.

Un instant elle hésita devant ce qui lui paraissait un sacrilège. Après tout, Louis était le roi maintenant, et ce lit était devenu le sien. Elle ôta son bonnet, laissa choir sa chape et sa chemise ; ses nattes d'or se dénouèrent complètement. Elle était un peu plus grasse qu'autrefois, mais elle avait toujours sa belle courbe de reins, ce dos ample et tranquille, cette hanche au toucher de soie où jouait la lumière... Ses gestes semblaient dociles, et c'était de docilité précisément que le Hutin était avide. De même qu'on bassinait le lit pour en chasser le froid, ce beau corps allait en chasser les démons.

Un peu inquiète, un peu éblouie, Eudeline se glissa sous la couverture d'or.

« J'avais raison, dit-elle aussitôt, ils grattent, ces draps neufs ! Je le savais bien. »

Louis s'était fébrilement dépouillé de sa chemise ; maigre, les épaules osseuses, et lourd par maladresse, il se jeta sur elle avec une précipitation désespérée comme si l'urgence ne pouvait tolérer le moindre atermoiement.

Hâte vaine. Les rois ne commandent point à tout et sont, en certaines choses, exposés à mêmes mécomptes que les autres hommes. Les désirs du Hutin étaient surtout de tête. Accroché aux épaules d'Eudeline ainsi qu'un noyé à une bouée, il s'évertuait, par simulacre, à surmonter une défaillance qui donnait peu d'espoir. « Certes, s'il n'honorait pas autrement Madame Marguerite, se disait Eudeline, on comprend mieux qu'elle l'ait trompé. »

Tous les encouragements silencieux qu'elle lui prodigua, tous les efforts qu'il fit et qui n'étaient point d'un prince allant à la victoire, demeurèrent sans succès. Il s'écarta d'elle, défait, honteux ; il tremblait, au bord de la rage ou des sanglots.

Elle essaya de le calmer :

« Vous avez tant cheminé aujourd'hui ! Vous avez eu si froid, et vous devez avoir le cœur si triste ! C'est bien naturel le soir qu'on a enterré son père, et cela peut arriver à tout un chacun, vous savez. »

Le Hutin contemplait cette belle femme blonde, offerte et inaccessible, étendue là comme pour incarner quelque châtiment infernal, et qui le regardait avec compassion.

« C'est la faute de cette gueuse, de cette catin... », dit-il.

Eudeline recula, croyant que l'injure s'adressait à elle.

« Je voulais qu'on la mît à mort après son for-
fait, continua-t-il les dents serrées. Mon père a
refusé ; mon père ne m'a point vengé. Et maintenant, c'est moi qui suis comme mort... dans ce
lit où je sens mon malheur, où je ne pourrai
jamais dormir !

— Mais si, Monseigneur Louis, dit Eudeline
doucement en l'attirant contre elle. Mais si, c'est
un bon lit ; mais c'est un lit de roi. Et pour chasser ce qui vous empêche, c'est une reine qu'il
vous faut mettre dedans. »

Elle était émue, modeste, sans reproches, ni
dépit.

« Crois-tu vraiment, Eudeline ?

— Mais oui, Monseigneur Louis, je vous assure ; dans un lit de roi, c'est une reine qu'il
faut, répéta-t-elle.

— Peut-être en aurai-je une bientôt. Il paraît
qu'elle est blonde, comme toi.

— C'est grand compliment que vous me faites
là, répondit Eudeline.

— On dit qu'elle est très belle, continua le
Hutin, et de grande vertu ; elle vit à Naples...

— Mais oui, Monseigneur Louis, mais oui, je
suis bien sûre qu'elle vous rendra heureux. Maintenant il vous faut reposer. »

Maternelle, elle lui offrait l'appui d'une épaule
tiède qui sentait la lavande, et elle l'écoutait rêver tout haut à cette femme inconnue, à cette
princesse lointaine dont elle tenait, cette nuit, si

vainement la place. Il se consolait, dans les mirages de l'avenir, de ses infortunes passées et de ses défaites présentes.

« Mais oui, Monseigneur Louis, c'est tout juste une épouse comme cela qu'il vous faut. Vous verrez comme vous vous sentirez bien fort auprès d'elle... »

Il se tut enfin. Et Eudeline demeura sans oser bouger, les yeux grands ouverts sur les trois chaînes de la veilleuse, attendant l'aube pour se retirer.

Le roi de France dormait.

DEUXIÈME PARTIE

LES LOUPS
SE MANGENT ENTRE EUX

I

LOUIS HUTIN
TIENT SON PREMIER CONSEIL

PENDANT seize ans, Marigny avait siégé au Conseil
étroit, dont sept à la droite du roi. Pendant seize
ans, il y avait servi le même prince, et pour faire
prévaloir la même politique. Pendant seize ans il
avait été certain d'y retrouver des amis fidèles
et des subordonnés diligents. Il sut bien, ce ma-
tin-là, dès qu'il eut passé le seuil de la chambre
du Conseil, que tout était changé.

Autour de la longue table, les conseillers se tenaient en même nombre à peu près que de coutume et la cheminée répandait dans la pièce la
même odeur de chêne brûlé. Mais les places
étaient différemment distribuées, ou occupées par
des personnages nouveaux.

Auprès des membres de droit ou de tradition,
tels les princes du sang ou le connétable Gaucher

de Châtillon, Marigny n'apercevait ni Raoul de Presles, ni Nicole le Loquetier, ni Guillaume Dubois, légistes éminents, serviteurs fidèles de Philippe le Bel. Ils avaient été remplacés par des hommes tels qu'Etienne de Mornay, chancelier du comte de Valois, ou Béraud de Mercœur, grand seigneur turbulent et l'un des plus violemment hostiles, depuis des années, à l'administration royale.

Quant à Charles de Valois lui-même, il s'était attribué le siège habituel de Marigny.

Des vieux serviteurs du Roi de fer, seul demeurait, en dehors du connétable, l'ex-chambellan Hugues de Bouville, sans doute parce qu'il appartenait à la haute noblesse. Les conseillers issus de la bourgeoisie avaient été écartés.

Marigny saisit d'un seul regard toutes les intentions d'offense et de défi dont témoignaient à son égard la composition et la disposition d'un tel Conseil. Il resta un moment immobile, la main gauche au collet de sa robe, sous son large menton, le coude droit serré sur son sac à documents, comme s'il pensait : « Allons ! Il va falloir nous battre ! » et rassemblait ses forces.

Puis, s'adressant à Hugues de Bouville, mais de façon à être entendu de tous, il demanda :

« Messire de Presles est-il malade ? Messires de Bourdenai, de Briançon et Dubois ont-ils été empêchés, que je ne vois aucun d'eux ? Ont-ils fait tenir excuse de leur absence ? »

Le gros Bouville eut un instant d'hésitation et répondit, baissant les yeux :

« Je n'ai pas eu charge de réunir le Conseil. C'est messire de Mornay qui y a pourvu. »

Se renversant un peu sur le siège qu'il venait de s'approprier, Valois dit alors, avec une insolence à peine voilée :

« Vous n'avez pas oublié, messire de Marigny, que le roi appelle au Conseil qui il veut, comme il veut, et quand il veut. C'est droit de souverain. »

Marigny fut au bord de répondre que si c'était, en effet, le droit du roi de convier à son Conseil qui lui plaisait, c'était aussi son devoir de choisir des hommes qui s'entendissent aux affaires, et que les compétences ne se formaient pas du soir au matin.

Mais il préféra réserver ses arguments pour un meilleur débat et s'installa, apparemment calme, en face de Valois, sur la chaise laissée vide à gauche du fauteuil royal.

Il ouvrit son sac à documents, en sortit parchemins et tablettes qu'il rangea devant lui. Ses mains contrastaient, par leur finesse nerveuse, avec la lourdeur de sa personne. Il chercha machinalement, sous le plateau de la table, le crochet auquel d'ordinaire il pendait son sac, ne le trouva pas, et réprima un mouvement d'irritation.

Valois conversait, d'un air de mystère, avec son neveu Charles de France. Philippe de Poitiers lisait, l'approchant de ses yeux myopes, une pièce que lui avait tendue le connétable et qui concernait un de ses vassaux. Louis d'Evreux se taisait. Tous étaient habillés de noir. Mais Mgr de Valois, en dépit du deuil de cour, était aussi superbement vêtu que jamais ; sa robe de velours s'ornait de broderies d'argent et de queues d'hermine qui le paraient comme un cheval de corbillard. Il n'avait devant lui ni parchemin ni tablette, et laissait à son chancelier le soin subalterne de lire et d'écrire ; lui se contentait de parler.

La porte qui donnait accès aux appartements s'ouvrit, et Mathieu de Trye parut, annonçant :

« Messires, le roi. »

Valois se leva le premier et s'inclina avec une déférence si marquée qu'elle en devenait majestueusement protectrice. Le Hutin dit :

« Excusez, messires, mon retard... »

Il s'interrompit aussitôt, mécontent de cette sotte déclaration. Il avait oublié qu'il était le roi, et qu'il lui appartenait d'entrer le dernier au Conseil. Il fut à nouveau saisi d'un malaise anxieux, comme la veille à Saint-Denis, et comme la nuit précédente dans le lit paternel.

L'heure était venue, vraiment, de se montrer roi. Mais la vertu royale n'est pas une disposition qui se manifeste par miracle. Louis, les bras ballants, les yeux rouges, ne bougeait pas ; il négligeait de s'asseoir et de faire asseoir le Conseil.

Les secondes passaient ; le silence devenait pénible.

Mathieu de Trye eut le geste qu'il fallait ; il tira ostensiblement le fauteuil royal. Louis s'assit et murmura :

« Siégez, messires. »

Il revit en pensée son père à cette même place et prit machinalement sa pose, les deux mains à plat sur les accoudoirs du fauteuil. Cela lui rendit un peu d'assurance. Se tournant alors vers le comte de Poitiers, il dit :

« Mon frère, ma première décision vous regarde. J'entends, lorsque le deuil de cour aura pris fin, vous conférer la pairie pour votre comté de Poitiers, afin que vous soyez au nombre des pairs et m'aidiez à soutenir le poids de la couronne. »

Puis, s'adressant à son second frère :

« A vous, Charles, j'ai vouloir de donner en fief et apanage le comté de la Marche, avec les droits et les revenus qui s'y attachent. »

Les deux princes se levèrent et vinrent, de part et d'autre du siège royal, baiser chacun l'une des mains de leur aîné, en signe de merci. Les mesures qui les touchaient n'étaient ni exceptionnelles ni inattendues. L'attribution de la pairie au premier frère du roi constituait une sorte d'usage ; et d'autre part, il était su depuis longtemps que le comté de la Marche, racheté par Philippe le Bel aux Lusignan, irait au jeune Charles [4].

Mgr de Valois ne s'en rengorgea pas moins, comme si l'initiative lui en revenait ; et il eut à l'adresse des deux princes un petit geste qui voulait exprimer : « Vous voyez, j'ai bien travaillé pour vous. »

Mais Louis X, pour sa part, n'était pas aussi satisfait, car il avait omis de commencer par rendre hommage à la mémoire de son père et de parler de la continuité du pouvoir. Les deux belles phrases qu'il avait préparées lui étaient sorties de l'esprit ; à présent il ne savait plus comment enchaîner.

Un silence s'établit à nouveau, gênant et pesant. Quelqu'un manquait trop évidemment à cette assemblée : le mort.

Enguerrand de Marigny regardait le jeune roi et attendait visiblement que celui-ci prononçât : « Messire, je vous confirme en vos charges de coadjuteur et recteur général du royaume... »

Rien ne venant, Marigny fit comme si cela avait été dit, et demanda :

« De quelles affaires, Sire, désirez-vous être informé ? De la rentrée des aides et tailles, de l'état du Trésor, des arrêts du Parlement, de la disette qui sévit dans les provinces, de la position des garnisons, de la situation en Flandre, des requêtes présentées par vos barons de Bourgogne et de Champagne ? »

Ce qui signifiait en clair : « Sire, voilà les questions dont je m'occupe, et bien d'autres encore, dont je pourrais vous égrener plus longtemps le chapelet. Pensez-vous être capable de vous passer de moi ? »

Le Hutin se tourna vers son oncle Valois d'un air qui mendiait appui.

« Messire de Marigny, le roi ne nous a pas réunis pour ces affaires, dit Valois ; il les entendra plus tard.

— Si l'on ne m'avertit pas de l'objet du Conseil, Monseigneur, je ne puis le deviner, répondit Marigny.

— Le roi, messires, poursuivit Valois sans paraître attacher la moindre importance à la remarque, le roi souhaite vous entendre sur le premier souci qu'en bon souverain il doit avoir : celui de sa descendance et de la succession au Trône.

— C'est tout juste cela, messires, dit le Hutin en essayant un ton de grandeur. Mon premier devoir est de pourvoir à la succession, et pour cela il me faut une femme... »

Et puis il resta court. Valois reprit la parole.

« Le roi considère donc qu'il doit, dès à présent, s'apprêter à rechoisir épouse, et son attention

s'est portée sur Mme Clémence de Hongrie, fille
du roi Carlo-Martello et nièce du roi de Naples.
Nous souhaitons ouïr votre conseil avant d'envoyer ambassade. »

Ce « nous souhaitons » frappa désagréablement
plusieurs membres de l'assistance. Etait-ce donc
Mgr de Valois qui régnait ?

Philippe de Poitiers inclina le visage vers le
comte d'Evreux.

« Voilà donc, murmura-t-il, pourquoi l'on a commencé par me beurrer l'oreille avec la pairie. »

Puis, à voix haute :

« Quel est sur ce projet l'avis de messire de
Marigny ? » demanda-t-il.

Ce faisant, il commettait sciemment une incor-
rection envers son frère aîné, car il appartenait
au souverain, et seulement à lui, d'inviter ses
conseillers à donner leur opinion. Personne ne se
fût aventuré à pareil manquement dans un conseil
du roi Philippe. Mais aujourd'hui, chacun paraissait commander ; et puisque l'oncle du nouveau roi se donnait les gants de dominer le
Conseil, le frère pouvait bien prendre les mêmes
libertés.

Marigny avança un peu son buste massif.

« Mme de Hongrie a sûrement de grandes qualités pour être reine, dit-il, puisque la pensée du
roi s'est arrêtée sur elle. Mais à part qu'elle est
la nièce de Mgr de Valois, ce qui bien sûr suffit à
nous la faire aimer, je ne vois pas trop ce que
son alliance apporterait au royaume. Son père
Charles-Martel est mort voici longtemps, n'étant
roi de Hongrie que de nom ; son frère Charobert... »

A la différence de Charles de Valois il prononçait
les noms à la française...

« ... son frère Charobert est enfin parvenu l'autre année, après quinze ans de brigue et d'expéditions, à coiffer cette couronne magyare qui ne lui
tient pas trop fort à la tête. Tous les fiefs et
principautés de la maison d'Anjou sont déjà dis-
tribués parmi cette famille si nombreuse qu'elle
s'étend sur le monde comme l'huile sur la nappe ;
et l'on croirait bientôt que la famille de France
n'est qu'une branche de la lignée d'Anjou [5]. On ne
peut attendre d'un semblable mariage aucun
agrandissement du domaine, comme le souhaitait
toujours le roi Philippe, ni aucune aide de guerre,
car tous ces princes lointains sont assez occupés
à se maintenir dans leurs possessions. En d'autres
mots, Sire, je suis certain que votre père se fût
opposé à une union dont la dot serait composée
de plus de nuages que de terres. »

Mgr de Valois était devenu rouge, et son genou
s'agitait sous la table. Chacune des phrases de
Marigny contenait une perfidie à son endroit.

« Vous avez beau jeu, messire, s'écria-t-il, à
porter parole pour qui est au tombeau. Je vous
opposerai, moi, que la vertu d'une reine vaut
mieux qu'une province. Les belles alliances de
Bourgogne que vous aviez si bien ourdies n'ont
pas tourné à tel avantage qu'il faille vous prendre encore pour juge en la matière. Honte et chagrin, voilà ce qu'il en est résulté.

— Oui, cela est ainsi ! déclara brusquement le
Hutin.

— Sire, répondit Marigny avec une nuance de
lassitude et de mépris, vous étiez bien jeune quand

votre mariage fut décidé par votre père ; et Mgr de Valois n'y paraissait point tellement hostile alors, ni non plus par la suite, puisque voici moins de deux ans il a choisi de marier son propre fils à la propre sœur de votre épouse, pour se rendre ainsi plus proche de vous. »

Valois accusa le coup, et sa couperose se marqua davantage. Il avait cru, en effet, fort habile d'unir son fils aîné, Philippe, à la sœur cadette de Marguerite, celle qu'on appelait Jeanne la Petite, ou la Boiteuse, parce qu'elle avait une jambe plus courte que l'autre [6].

Marigny poursuivait :

« La vertu des femmes est chose incertaine, Sire, autant que leur beauté est chose passagère ; mais les provinces restent. Le royaume, ces temps-ci, a gagné plus d'accroissement par les mariages que par les guerres. Ainsi Mgr de Poitiers détient la Comté-Franche ; ainsi...

— Ce conseil, dit brutalement Valois, va-t-il se passer à écouter messire de Marigny chanter sa propre louange, ou bien à pousser avant les volontés du roi ?

— Pour ce faire, Monseigneur, répliqua Marigny aussi vivement, il conviendrait de ne pas placer le chariot devant l'attelage. On peut rêver pour le roi de toutes les princesses de la terre, et je comprends bien que l'impatience le gagne ; encore faut-il commencer par le démarier de l'épouse qu'il a. Mgr d'Artois ne paraît pas vous avoir rapporté de Château-Gaillard les réponses que vous attendiez. L'annulation requiert donc qu'il y aït un pape...

— ...ce pape que vous nous promettez depuis

six mois, Marigny, mais qui n'est pas encore sorti
d'un conclave introuvable. Vos envoyés ont si bien
brimé et défenestré les cardinaux à Carpentras
que ceux-ci se sont enfuis, soutanes retroussées,
à travers la campagne. Vous n'avez pas là sujet
d'afficher beaucoup votre gloire ! Si vous aviez
marqué plus de modération, et un respect pour
les ministres de Dieu qui vous est fort étranger,
nous serions moins en peine.

— J'ai évité jusqu'à ce jour qu'on élise un pape
qui ne fût que la créature des princes de Rome,
ou de ceux de Naples, pour ce que le roi Philippe
voulait justement un pape qui fût serviable à la
France. »

Les hommes épris de puissance sont avant tout
poussés par la volonté d'agir sur l'univers, de
faire les événements, et d'avoir eu raison. Richesse, honneurs, distinctions ne sont à leurs yeux que
des outils pour leur action. Marigny et Valois
appartenaient à cette espèce-là.

Ils s'étaient toujours affrontés, et seul Philippe
le Bel avait su tenir à bout de bras ces deux adversaires, se servant au mieux de l'intelligence politique du légiste, et des qualités militaires du
prince du sang. Mais Louis X était dépassé par le
débat et totalement impuissant à l'arbitrer.

Le comte d'Evreux intervint, tâchant à ramener les esprits au calme, et avança une suggestion
qui pût concilier les deux partis.

« Si en même temps qu'une promesse de mariage avec Mme Clémence, nous obtenions du roi
de Naples qu'il acceptât pour pape un cardinal
français ?

— Alors certes, Monseigneur, dit Marigny plus

posément, un tel accord aurait un sens ; mais je doute fort qu'on y parvienne.

— Nous ne risquons rien à essayer. Envoyons une ambassade à Naples, si tel est le vœu du roi.

— Assurément, Monseigneur.

— Bouville, votre conseil ? » dit brusquement le Hutin pour se donner l'air de prendre l'affaire en main.

Le gros Bouville sursauta. Il avait été excellent chambellan, attentif à la dépense et majordome exact, mais son esprit ne volait pas très haut ; et Philippe le Bel ne s'adressait guère à lui, en Conseil, que pour lui commander de faire ouvrir les fenêtres.

« Sire, dit-il, c'est une noble famille, où vous iriez prendre épouse, et où l'on maintient fort les traditions de chevalerie. Nous aurions honneur à servir une reine... »

Il s'arrêta, interrompu par un regard de Marigny qui semblait dire : « Tu me trahis, Bouville ! »

Entre Bouville et Marigny existaient de vieux et solides liens d'amitié. C'était chez le père de Bouville, Hugues II, grand chambellan d'alors, et qui devait être tué sous les yeux de Philippe le Bel à Mons-en-Pévèle, que Marigny avait commencé de servir en qualité d'écuyer ; et, au long de son extraordinaire ascension, il s'était toujours montré fidèle au fils de son premier seigneur.

Les Bouville appartenaient à la très haute noblesse. La fonction de chambellan, sinon celle de grand chambellan, était chez eux, depuis un siècle, quasi héréditaire. Hugues III, qui avait succédé à son frère Jean, qui lui-même avait succédé à leur père, Hugues II, était, par nature et par atavisme, si dévoué serviteur de la couronne, et si ébloui de la grandeur royale, que lorsque le roi lui parlait, il ne savait qu'approuver. Que le Hutin fût un sot et un brouillon ne faisait pas de différence ; et, dès l'instant qu'il était *le roi*, Bouville s'apprêtait à reporter sur lui tout le zèle qu'il avait témoigné à Philippe le Bel.

Cet empressement reçut immédiatement sa récompense, car Louis X décida que ce serait Bouville qu'on enverrait à Naples. Le choix surprit, mais ne suscita point d'opposition. Valois, s'imaginant qu'il réglerait tout secrètement par lettres, estimait qu'un homme médiocre, mais docile, était juste l'ambassadeur qui lui convenait. Tandis que Marigny pensait : « Envoyez donc Bouville. Il a autant d'aptitude à négocier qu'en aurait un enfant de cinq ans. Vous verrez bien les résultats. »

Le bon serviteur, tout rougissant, se trouva ainsi chargé d'une haute mission qu'il n'attendait pas.

« Rappelez-vous, Bouville, que nous sommes en besoin d'un pape, dit le jeune roi.

— Sire, je n'aurai que cette idée en tête. »

Louis X prenait soudain de l'autorité ; il aurait voulu que son messager fût déjà en route. Il poursuivit :

« Au retour vous passerez en Avignon, et ferez en sorte de hâter ce conclave. Et puisque les cardinaux, paraît-il, sont gens qu'on doit acheter, vous vous ferez pourvoir d'or par messire de Marigny.

— Où prélèverai-je cet or, Sire ? demanda ce dernier.

— Eh mais... sur le Trésor, bien évidemment !

— Le Trésor est vide, Sire, c'est-à-dire qu'il y reste à peine suffisance pour honorer les paiements d'ici la Saint-Nicolas, et attendre de nouvelles rentrées, mais rien de plus.

— Comment, le Trésor est vide, messire ? s'écria Valois. Et vous ne l'avez pas dit plus tôt ?

— Je voulais commencer par là, Monseigneur, mais vous m'en avez empêché.

— Et pourquoi, à votre avis, sommes-nous dans cette pénurie ?

— Parce que les tailles d'impôt rentrent mal quand on les prend sur un peuple en disette. Parce que les barons, comme vous le savez le premier, Monseigneur, rechignent à payer les aides. Parce que le prêt consenti par les compagnies lombardes a servi pour régler aux mêmes barons les soldes de la dernière expédition de Flandre, cette expédition que vous aviez si fort conseillée...

— ...et que vous avez voulu clore de votre chef, messire, avant que nos chevaliers aient pu y trouver gloire, et nos finances profit. Si le royaume n'a pas tiré avantage des hâtifs traités que vous êtes allé conclure à Lille, j'imagine qu'il n'en fût pas de même pour vous, car votre habitude n'est point de vous oublier dans les marchés que vous passez. J'en ai subi l'apprentissage à mon détriment. »

Ces derniers mots faisaient allusion à l'échange de leurs seigneuries respectives de Gaillefontaine et de Champrond auquel ils avaient procédé, quatre ans plus tôt, à la demande de Valois d'ailleurs, et dans lequel celui-ci s'était jugé dupé. Leur grande brouille datait de là.

« Il n'empêche, dit Louis X, que messire de Bouville doit être mis en chemin au plus tôt. »

Marigny ne parut pas avoir entendu que le roi
parlait. Il se leva, et l'on eut la certitude que
quelque chose d'irréparable allait se produire.

« Sire, j'aimerais que Mgr de Valois éclairât
ce qu'il vient de dire au sujet des conventions de
Lille et de Marquette, ou bien qu'il retirât ses
paroles. »

Quelques secondes s'écoulèrent sans qu'il y eût
aucun bruit dans la chambre du Conseil. Puis
Mgr de Valois à son tour se leva, faisant tressauter les queues d'hermine qui lui ornaient les
épaules et la taille.

« Je déclare devant vous, messire, ce que chacun prononce dans votre dos, à savoir que les
Flamands vous ont acheté le retrait de nos bannières, et que vous avez ensaché pour vous des
sommes qui eussent dû revenir au Trésor. »

Les mâchoires contractées, son visage grume-
leux blanchi par la colère, et les yeux regardant
comme au-delà des murs, Marigny ressemblait à
sa statue de la Galerie mercière.

« Sire, dit-il, j'ai entendu aujourd'hui plus qu'un
homme d'honneur ne saurait entendre en toute
sa vie. Je ne tiens mes biens que des bontés
du roi votre père, dont je fus en toutes choses le
serviteur et le second pendant seize années. Je
viens d'être devant vous accusé de détournement,
et de commerce avec les ennemis du royaume.
Puisque nulle voix ici, et la vôtre avant toutes,
Sire, ne s'élève pour me défendre contre pareille
vilenie, je vous demande de nommer commission
afin de faire vérifier mes comptes, desquels je

suis responsable devant vous, et devant vous seul. »

Les princes médiocres ne tolèrent qu'un entourage de flatteurs qui leur dissimulent leur médiocrité. L'attitude de Marigny, son ton, sa présence même rappelaient trop évidemment au jeune roi qu'il était inférieur à son père.

S'emportant lui aussi, Louis X s'écria :

« Soit ! Cette commission sera nommée, messire, puisque c'est vous-même qui le demandez. »

Par cette parole, il se séparait du seul homme capable de gouverner à sa place et de diriger son règne. La France allait payer pendant de longues années ce mouvement d'humeur.

· Marigny ramassa son sac à documents, le remplit, et se dirigea vers la porte. Son geste irrita un peu plus le Hutin, qui lui lança :

« Et jusque-là, vous voudrez bien ne plus avoir affaire avec notre Trésor.

— Je m'en garderai bien, Sire », dit Marigny depuis le seuil.

Et l'on entendit ses pas décroître dans l'antichambre.

Valois triomphait, presque surpris de la rapidité de cette exécution.

« Vous avez eu tort, mon frère, lui dit le comte d'Evreux ; on ne force point un tel homme, et de telle sorte.

— J'ai eu grand-raison, mon frère, répliqua Valois, et bientôt vous m'en saurez gré. Ce Marigny est un mal sur le visage du royaume, qu'il fallait se hâter de faire crever.

— Mon oncle, demanda Louis X revenant impatiemment à son seul souci, quand mettrez-vous en chemin notre ambassade auprès de la cour de Naples ? »

Aussitôt que Valois lui eut promis que Bouville partirait dans la semaine, il leva le conseil. Il était mécontent de tout et de tous, parce qu'en vérité il était mécontent de lui-même.

II

ENGUERRAND DE MARIGNY

Précédé comme à l'ordinaire de deux sergents massiers portant bâtons à fleur de lis, escorté de secrétaires et d'écuyers, Enguerrand de Marigny, regagnant sa demeure, étouffait de fureur. « Ce coquin, ce brochet, m'accuser de trafiquer des traités ! Le reproche est pour le moins plaisant venant de lui, qui a passé sa vie à se vendre au plus offrant... Et ce petit roi qui a de la cervelle comme une mouche et de la hargne comme une guêpe, n'a pas dit un mot à mon adresse, sinon pour m'ôter la gestion du Trésor ! »

Il marchait sans rien voir des rues ni des gens. Il gouvernait les hommes de si haut et depuis si longtemps qu'il avait perdu l'habitude de les regarder. Les Parisiens s'écartaient devant lui, s'inclinaient, lui tiraient de grands coups de bonnet, et puis le suivaient des yeux en échangeant quelque remarque amère. Il n'était pas aimé, ou ne l'était plus.

Parvenu à son hôtel de la rue des Fossés-Saint-Germain, il traversa la cour d'un pas pressé, jeta son manteau au premier bras qui se tendait et, toujours tenant son sac à documents, gravit l'escalier tournant.

Gros coffres, gros chandeliers, tapis épais, lourdes tentures, l'hôtel n'était meublé que de choses solides et faites pour durer. Une armée de valets y veillait au service du maître, et une armée de clercs y travaillait au service du royaume.

Enguerrand poussa la porte de la pièce où il savait trouver sa femme. Celle-ci brodait au coin du feu ; sa sœur, Mme de Chanteloup, une veuve bavarde, était auprès d'elle. Deux levrettes d'Italie, naines et frileuses, sautillaient à leurs pieds.

Au visage que montrait son mari, Mme de Marigny aussitôt s'inquiéta.

« Bon ami, que s'est-il produit ? » demanda-t-elle.

Alips de Marigny, née de Mons, vivait depuis bientôt cinq ans dans l'admiration de l'homme qui l'avait épousée, en secondes noces, et brûlait pour lui d'un dévouement constant et passionné.

« Il se produit, répondit Marigny, que, maintenant que le roi Philippe n'est plus là pour les tenir sous le fouet, les chiens se sont lancés après moi.

— Puis-je vous aider d'aucune sorte ? »

Il la remercia, mais si durement, ajoutant qu'il savait assez bien se conduire seul, que les larmes vinrent aux yeux de la jeune femme. Enguerrand alors se pencha pour la baiser au front, et murmura :

« Je ne méconnais point, Alips, que je n'ai que vous pour m'aimer ! »

Puis il passa dans son cabinet de travail, jeta son sac à documents sur un coffre. Il marcha un moment d'une fenêtre à l'autre, pour donner à sa raison le temps de prendre le pas sur sa colère. « Vous m'avez ôté le Trésor, jeune Sire, mais vous avez omis le reste. Attendez donc ; vous ne me briserez pas si aisément. »

Il agita une clochette.

« Quatre sergents, promptement », dit-il à l'huissier qui se présenta.

Les sergents demandés montèrent de la salle des gardes. Marigny leur distribua les ordres :

« Toi, va querir messire Alain de Pareilles, au Louvre. Toi, va querir mon frère l'archevêque, qui doit ce jour être au palais épiscopal. Toi, messires Dubois et Raoul de Presles ; toi, messire Le Loquetier. S'ils ne sont point en leurs hôtels, affairez-vous à les rembucher. Et dites à tous que je les attends céans. »

Les quatre hommes partis, il écarta une tenture et ouvrit la porte de communication avec la chambre des secrétaires privés.

« Quelqu'un pour la dictée. »

Un clerc arriva, portant pupitre et plumes. Marigny, le dos au feu, commença :

« A très puissant, très aimé et très redouté « Sire, le roi Edouard d'Angleterre, duc d'Aqui« taine... Sire, en l'état que me trouve le retour « à Dieu de mon seigneur, maître et suzerain, le « très pleuré roi Philippe et le plus grand que

« le royaume ait connu, je me tourne devers
« vous pour vous instruire de choses qui regar-
« dent le bien des deux nations... »

Il s'interrompit pour agiter à nouveau la clochette. L'huissier reparut. Marigny lui commanda
de faire chercher Louis de Marigny, son fils. Puis
il continua sa lettre.

Depuis 1308, date du mariage d'Isabelle de
France avec Edouard II d'Angleterre, Marigny
avait eu l'occasion de rendre à ce dernier maints
services politiques ou personnels.

La situation, dans le duché d'Aquitaine, était
toujours difficile et tendue, de par le statut singulier de cet immense fief français tenu par un
souverain étranger. Cent ans et plus de guerre,
de disputes incessantes, de traités contestés ou
reniés, y avaient laissé leurs séquelles. Quand les
vassaux guyennais, selon leurs intérêts et leurs
rivalités, s'adressaient à l'un ou l'autre des sou-
verains, Marigny, toujours, s'appliquait à éviter
les conflits. D'autre part, Edouard et Isabelle ne
formaient guère un ménage harmonieux. Quand
Isabelle se plaignait des mœurs anormales de son
mari et lui reprochait des favoris avec lesquels
elle vivait en lutte déclarée, Marigny prêchait le
calme et la patience pour le bien des royaumes.
Enfin la trésorerie d'Angleterre connaissait des
difficultés fréquentes. Quand Edouard se trouvait trop à court de monnaie, Marigny s'arran-
geait pour lui faire consentir un prêt.

En remerciement de tant d'interventions,
Edouard, l'année précédente, avait gratifié le coadjuteur d'une pension à vie de mille livres [7].

Aujourd'hui, c'était au tour de Marigny d'en

appeler au roi anglais et de lui demander soutien. Il importait aux bonnes relations entre les
deux royaumes que les affaires de France ne
changeassent point de direction.

« ... Il y va, Sire, plus que de ma faveur ou
« de ma fortune ; vous saurez voir qu'il y va de
« la paix des empires, pour laquelle je suis et
« je serai toujours votre très fidèle servant. »

Il se fit relire la lettre, y apporta quelques cor-
rections.

« Recopiez, et présentez-moi à signer.

— Cela doit-il partir aux chevaucheurs, Monseigneur ? demanda le secrétaire.

— Non point. Et je scellerai de mon petit
sceau. »

Le secrétaire sortit. Marigny dégrafa le haut
de sa robe ; l'action lui faisait gonfler le cou.

« Pauvre royaume, pensait-il. En quelle brouille
et misère vont-ils le mettre, si je ne m'y oppose !
N'aurai-je donc autant fait que pour voir mes
efforts ruinés ? »

Les hommes qui pendant un temps très long
ont exercé le pouvoir finissent par s'identifier à
leur charge et par considérer toute atteinte faite
à leur personne comme une atteinte directe aux
intérêts de l'Etat. Marigny en était à ce point,
et donc prêt, sans nullement s'en rendre compte,
à agir contre le royaume, dès l'instant qu'on lui
limitait la faculté de le diriger.

Ce fut dans cette disposition qu'il accueillit
son frère l'archevêque.

Jean de Marigny, long et serré dans son manteau violet, avait une attitude constamment étu-
diée que n'aimait pas le coadjuteur. Enguerrand

avait envie de dire à son cadet : « Prends cette mine pour tes chanoines, si cela te plaît, mais non pas devant moi qui t'ai vu baver ta soupe et te moucher dans tes doigts. »

En dix phrases il lui raconta le conseil dont il sortait et lui communiqua ses directives, du même ton sans réplique qu'il avait pour parler à ses commis.

« Je ne désire point de pape pour l'instant, car aussi longtemps qu'il n'y a point de pape, ce méchant petit roi est dans ma main. Donc pas de cardinaux bien rassemblés et prêts à entendre Bouville quand celui-ci reviendra de Naples. Pas de paix en Avignon. Qu'on s'y dispute, qu'on s'y déchire. Vous ferez ce qu'il convient, mon frère, pour qu'il en soit ainsi. »

Jean de Marigny, qui avait commencé par se montrer tout indigné de ce que lui rapportait Enguerrand, se rembrunit aussitôt qu'il fut question du conclave. Il réfléchit un moment, contemplant son anneau pastoral.

« Alors, mon frère ? J'attends votre acquiescement, dit Enguerrand.

— Mon frère, vous savez que je ne veux que vous servir en tout ; et je pense que je pourrais mieux le faire encore si je deviens quelque jour cardinal. Or, à semer dans le conclave plus de discorde qu'il n'en pousse déjà, je risque fort de m'aliéner l'amitié de tel ou tel papable, Francesco Caëtani par exemple, qui, s'il se trouvait plus tard élu, me refuserait alors le chapeau... »

Enguerrand éclata.

« Votre chapeau ! Voilà bien l'heure d'en parler ! Votre chapeau, si jamais vous devez l'avoir, mon pauvre Jean, c'est moi qui vous en coifferai comme je vous ai déjà tissé votre mitre. Mais si de sots calculs vous font ménager mes adversaires, comme ce Caëtan, je vous dis que bientôt vous irez, non seulement sans chapeau, mais sans souliers, en misérable moine qu'on reléguera dans quelque couvent. Vous oubliez trop vite, Jean, ce que vous me devez, et de quel mauvais pas encore je vous ai tiré, voici deux mois à peine, pour ce trafic que vous aviez fait des biens du Temple. A ce propos », ajouta-t-il...

Son regard devint plus étincelant, plus aigu, sous ses sourcils épais.

« ... à ce propos, avez-vous bien pu détruire les preuves laissées imprudemment par vous au banquier Tolomei, et dont les Lombards se sont servis pour me faire plier ? »

L'archevêque eut un hochement de tête qui pouvait être interprété comme une affirmation ; mais aussitôt il se montra plus docile, et pria son frère de lui préciser ses instructions.

« Envoyez en Avignon, reprit Enguerrand, deux émissaires, hommes d'Eglise d'une sûreté absolue, je veux dire des gens à votre merci. Faites-les se promener à Carpentras, à Châteauneuf, à Orange, partout où les cardinaux sont éparpillés, et répandre avec autorité, comme venant de la cour de France, des assurances tout à fait opposées. L'un annoncera aux cardinaux français que le nouveau roi permettrait le retour du Saint-Siège à Rome ; l'autre dira aux Italiens que nous inclinons à établir la papauté plus près encore de Paris, pour qu'elle soit mieux sous notre dépendance. Ce qui n'est rien que vérité, après tout, et des deux parts, puisque le roi est incapable de juger de ces choses, que Valois veut le pape à Rome et que je le veux en France. Le roi n'a en tête que l'annulation de son mariage et ne voit pas plus loin. Il l'obtiendra, mais seulement à l'heure que je voudrai, et d'un pontife à ma convenance... Pour l'instant donc, retardons l'élection. Veillez à ce que vos deux envoyés n'aient pas de lien entre eux ; il serait même souhaitable qu'ils ne se connussent point. »

Sur ces paroles, il congédia son frère pour recevoir son fils Louis, qui attendait dans l'antichambre. Mais quand le jeune homme fut entré, Marigny resta un moment silencieux. Il pensait tristement, amèrement : « Jean me trahira dès qu'il y croira trouver son profit... »

Louis de Marigny était un garçon mince, de belle tournure, et qui s'habillait avec recherche. Il ressemblait assez, pour les traits de figure, à l'archevêque son oncle.

Fils d'un personnage devant qui le royaume entier s'inclinait, et de plus filleul du nouveau roi, le jeune Marigny ne connaissait ni la lutte ni l'effort. S'il faisait montre, certes, d'admiration et de respect pour son père, il souffrait en secret de l'autorité brutale de celui-ci et de ses rudes manières qui disaient l'homme parvenu par l'action. Pour un peu, il aurait reproché à son père de n'être pas assez bien né.

« Louis, équipez-vous, dit Enguerrand ; vous partez tout à l'heure pour Londres délivrer une lettre. »

Le visage du jeune homme se rembrunit.

« Cela ne saurait-il attendre après-demain, mon

père, ou bien n'avez-vous personne qui me puisse remplacer ? Je dois chasser demain dans le bois de Boulogne... petite chasse parce que c'est deuil, mais...

— Chasser ! Vous ne pensez donc qu'à chasser ! s'écria Marigny. Ne demanderai-je jamais la moindre aide aux miens, pour qui je fais tout, sans qu'ils commencent par rechigner ? Apprenez que c'est moi que l'on chasse, présentement, pour m'arracher la peau, et la vôtre avec... S'il me suffisait d'un quelconque chevaucheur, j'y aurais songé tout seul ! C'est au roi d'Angleterre que je vous envoie, afin que ma lettre lui soit remise de main à main, et qu'il n'aille pas en circuler copies que le vent pourrait rabattre par ici. Le roi d'Angleterre ! Cela flatte-t-il assez votre orgueil pour que vous renonciez à une chasse ?

— Pardonnez-moi, mon père, dit Louis de Marigny ; je vous obéirai.

— En donnant ma lettre au roi Edouard, auquel vous rappellerez qu'il vous a distingué l'autre année, à Maubuisson, vous ajouterez ceci, que je n'ai point écrit, à savoir que Charles de Valois intrigue pour remarier le nouveau roi à une princesse de Naples, ce qui tournerait nos alliances vers le Sud plutôt que vers le Nord. Voilà. Vous m'avez entendu. Et si le roi Edouard vous demande ce qu'il peut faire dans mon sens, dites-lui qu'il m'aiderait bien en me recommandant fortement au roi Louis, son beau-frère... Prenez les écuyers et sommeliers qu'il vous faut ; mais n'ayez pas trop grand train de prince. Et faites-vous bailler cent livres par mon trésorier. »

Quelques coups furent frappés à la porte.

« Messire de Pareilles est arrivé, dit l'huissier.

— Qu'il vienne... Adieu, Louis. Mon secrétaire vous portera la lettre. Que le Seigneur veille sur votre chemin. »

Enguerrand de Marigny étreignit son fils, geste dont il n'était pas coutumier. Puis il se tourna vers Alain de Pareilles qui entrait, l'empoigna par le bras, et lui montrant un siège devant la cheminée, lui dit :

« Chauffe-toi, Pareilles. »

La capitaine général des archers avait des cheveux couleur d'acier, un visage durement marqué par le temps et la guerre, et ses yeux avaient tant vu de combats, de coups de force, d'émeutes, de tortures, d'exécutions qu'ils ne pouvaient plus s'étonner de rien. Les pendus de Montfaucon lui étaient spectacle habituel. Dans la seule année en cours, il avait conduit le grand-maître des Templiers au bûcher, conduit les frères d'Aunay à la roue, conduit les princesses royales en prison.

Il commandait au corps des archers, aux sergents d'armes de toutes les forteresses ; le maintien de l'ordre dans le royaume était son affaire, ainsi que l'application des arrêts de justice répressive ou criminelle. Marigny, qui ne tutoyait aucun membre de sa famille, tutoyait ce vieux compagnon, instrument exact, sans défaut ni faiblesse, du pouvoir d'Etat.

« Deux missions pour toi, Pareilles, dit Marigny, et qui relèvent toutes deux de l'inspection des forteresses. D'abord, je te demande de te rendre à Château-Gaillard afin de secouer l'âne qui en est gardien... Comment se nomme-t-il, déjà ?

— Bersumée, Robert Bersumée.

— Tu diras donc à ce Bersumée qu'il se conforme mieux aux instructions reçues. J'ai su que Robert d'Artois était allé là-bas, et qu'il avait eu accès auprès de Madame de Bourgogne. C'est en contrevenance aux ordres. La reine, pour autant qu'on puisse la dire telle, est condamnée au mur, c'est-à-dire au secret. Aucun sauf-conduit ne vaut pour l'approcher s'il ne porte mon sceau, ou le tien. Seul le roi peut aller la visiter ; je vois petite chance que telle envie le prenne. Donc, ni ambassade ni message. Et que l'âne sache bien que je lui fendrai les oreilles s'il n'obéit point.

— Que souhaites-tu, Monseigneur, qu'il advienne de Madame Marguerite ? interrogea Pareilles.

— Rien. Qu'elle vive. Elle me sert d'otage et je la veux garder. Qu'on veille bien à sa sûreté. Qu'on adoucisse au besoin sa chère et son logis, s'ils devaient nuire à sa santé... Deuxièmement : aussitôt que revenu de Château-Gaillard, tu piqueras sur le Midi, avec trois compagnies d'archers que tu iras installer dans le fort de Villeneuve, pour y renforcer notre garnison en face d'Avignon. Je te prie de bien montrer ton arrivée et de faire défiler tes archers six fois de suite devant la forteresse, de sorte que de l'autre rive on puisse croire qu'ils sont deux mille à y pénétrer. C'est aux cardinaux que je destine cette parade de guerre, pour compléter le tour que je leur monte d'autre part. Cela fait, tu reviens au plus tôt ; ton service peut m'être grandement nécessaire ces temps-ci...

— ... où l'air qui souffle à l'environ ne nous plaît guère, n'est-ce pas, Monseigneur ?

— Certes non... Adieu, Pareilles. Je dicterai tes instructions. »

Marigny était plus calme. Les diverses pièces de son jeu commençaient à se disposer. Resté seul, il réfléchit un moment. Puis il entra dans la chambre des secrétaires. Des stalles de chêne sculpté couvraient les murs à mi-hauteur, ainsi que dans le chœur d'une église. Chaque stalle était équipée d'une tablette à écrire où pendaient des poids qui maintenaient les parchemins tendus, et de cornes fixées aux accoudoirs pour contenir les encres. Des lutrins tournants, à quatre faces, soutenaient registres et documents. Quinze clercs travaillaient là, en silence. Marigny au passage parapha et scella la lettre au roi Edouard ; et il gagna la salle suivante où les légistes qu'il avait mandés se trouvaient réunis, et d'autres avec eux, tels Bourdenai et Briançon, venus de leur propre chef aux nouvelles.

« Messires, leur dit Enguerrand, on ne vous a pas fait l'honneur de vous convier au conseil de ce matin. Aussi allons-nous tenir entre nous un conseil fort étroit.

— Il n'y manquera que notre Sire le roi Philippe, dit Raoul de Presles avec un sourire triste.

— Prions pour que son âme nous assiste », dit Geoffroy de Briançon.

Et Nicole Le Loquetier ajouta :

« Lui ne doutait pas de nous.

— Siégeons, messires », dit Marigny.

Et quand chacun fut assis :

« Il me faut d'abord vous apprendre que la gestion du Trésor vient de m'être ôtée, et que le roi va commettre à viser les comptes. L'offense

vous atteint en même temps que moi. Gardez-
vous, messires, de vous indigner ; nous avons
mieux à nous employer. Car je désire présenter
des comptes bien nets. Pour ce faire... »

Il prit un temps, et se renversa un peu sur son
siège.

« ... pour ce faire, répéta-t-il, vous voudrez donner ordre à tous prévôts et receveurs de finances,
en tous bailliages et sénéchaussées, de payer tout
ce qu'on doit, sur-le-champ. Qu'on règle les fournitures, les travaux en cours, et tout ce qui a
été commandé par la Couronne, sans omettre
ce qui regarde la maison de Navarre. Qu'on paie
partout, jusqu'à épuisement de l'or, et même ce
qui pouvait souffrir délai. Et pour le solde, on
fera l'état des dettes. »

Les légistes regardèrent Marigny, se regardèrent entre eux. Ils avaient compris ; et quelques-
uns ne purent s'empêcher de sourire. Marigny fit
craquer ses phalanges, comme s'il cassait des noix.

« Mgr de Valois veut s'assurer mainmise sur le
Trésor ? acheva-t-il. Eh bien ! il se retournera les
ongles à le racler, et il lui faudra chercher ailleurs la monnaie de ses intrigues ! »

III

L'HOTEL DE VALOIS

Or le rude affairement qui régnait rive gauche en l'hôtel de Marigny n'était que petite agitation en regard de ce qui se passait, rive droite, à l'hôtel de Valois. Là, on chantait victoire, on criait triomphe, et l'on eût, pour un peu, mis les pavois aux fenêtres.

« Marigny n'a plus le Trésor ! » La nouvelle, d'abord chuchotée, maintenant se clamait. Chacun savait, et voulait montrer qu'il savait ; chacun commentait, chacun supputait, chacun prédisait, et cela tissait toute une rumeur de vantardises, de conciliabules, de flatteries quémandeuses. Le moindre bachelier prenait une autorité de connétable pour rabrouer les valets. Les femmes commandaient avec plus d'exigence, les enfants glapissaient avec plus d'énergie. Les chambellans, jouant l'importance, se transmettaient gravement de futiles consignes, et il n'était jusqu'au dernier clerc aux écritures qui ne voulût se donner la mine d'un dignitaire.

Les dames de parage caquetaient autour de la comtesse de Valois, haute, sèche, altière. Le chanoine Etienne de Mornay, chancelier du comte, passait comme un navire entre des vagues de nuques plongeant avec respect. Toute une clientèle effervescente, cauteleuse, entrait, sortait, se tenait dans l'embrasure des fenêtres, donnait son avis sur les affaires publiques. L'odeur du pouvoir s'était répandue dans Paris, et chacun s'empressait à la flairer du plus près.

Il en fut ainsi pendant une entière semaine. On venait, feignant d'avoir été appelé et par espoir de l'être, car Mgr de Valois, enfermé dans son cabinet, consultait beaucoup. On vit même apparaître, fantôme de l'autre siècle, que soutenait un écuyer à barbe blanche, le vieux sire de Joinville, croulant et aminci par l'âge. Le sénéchal héréditaire de Champagne, compagnon de saint Louis durant la croisade de 1248, et qui s'était institué son thuriféraire, avait quatre-vingt-onze ans. A demi aveugle, la paupière mouillée et l'entendement diminué, il apportait au comte de Valois la caution de l'ancienne chevalerie et de la société féodale.

Le parti baronnial, pour la première fois depuis trente ans, l'emportait ; et l'on eût dit, devant la grande bousculade de ceux qui se hâtaient de le rallier, que la vraie cour ne se tenait pas au palais de la Cité, mais à l'hôtel de Valois.

Demeure de roi, d'ailleurs. Nulle poutre aux plafonds qui ne fût sculptée, nulle cheminée dont la hotte monumentale ne s'ornât des écus de France, d'Anjou, du Valois, du Perche, du Maine ou de Romagne, et même des armes d'Aragon ou des emblèmes impériaux de Constantinople, puisque Charles de Valois avait, fugitivement et nominalement, porté tour à tour la couronne aragonaise et celle de l'Empire latin d'Orient. Partout les pavements disparaissaient sous les laines de Smyrne, et les murs sous les tapis de Chypre. Les crédences, les dressoirs soutenaient un étincellement d'orfèvrerie, d'émaux, de vermeil ciselé.

Mais cette façade d'opulence et de prestige cachait une lèpre, le mal d'argent. Toutes ces merveilles étaient aux trois quarts engagées pour couvrir la fabuleuse dépense qui se faisait en cette maison. Valois aimait paraître. A moins de soixante convives, sa table lui semblait vide ; et à moins de vingt plats par service, il se croyait réduit à menu de pénitence. Comme il en allait à ses yeux des honneurs et des titres, il en allait des bijoux, des vêtements, des chevaux, des meubles, des vaisselles ; il lui fallait trop de tout pour lui donner le sentiment d'avoir assez.

Chacun autour de lui profitait de ce faste. Mahaut de Châtillon, la troisième Mme de Valois, s'entendait à accumuler robes et parures, et il n'était princesse en France qui se montrât pareillement cousue de perles et de gemmes. Philippe de Valois, le fils aîné, dont la mère était Anjou-Sicile, aimait les armures padouanes, les bottes de Cordoue, les lances en bois du Nord, les épées d'Allemagne.

Jamais négociant, s'il venait offrir un objet rare ou somptueux, et s'il avait l'habileté de laisser entendre que quelque autre seigneur en pourrait devenir acquéreur, ne remportait sa marchandise.

Les brodeuses attachées à l'hôtel, et celles qu'on employait en ville, ne suffisaient pas à fournir les cottes d'armes, les oriflammes, les tapis de selle, les caparaçons, les robes de Monseigneur, les surcots de Madame.

Le bouteiller volait sur les vins, les écuyers volaient sur le fourrage, les chambellans volaient sur la chandelle et le saucier grattait sur les épices. Comme on pillait à la lingerie, on gaspillait aux cuisines. Et ce n'était là que le train courant.

Car le comte de Valois devait faire face à d'autres nécessités.

Géniteur prolifique, il avait d'innombrables filles qui lui étaient nées de ses trois lits. Chaque fois qu'il en mariait une, Charles se voyait contraint de s'endetter davantage afin que dot et fêtes d'épousailles fussent à la mesure des trônes autour desquels il prenait ses gendres. Sa fortune fondait dans ce réseau d'alliances.

Certes, il possédait d'immenses domaines, les plus grands après ceux du roi. Mais les revenus qu'il en tirait ne couvraient plus qu'à peine les intérêts des emprunts. Les prêteurs, de mois en mois, se faisaient plus difficiles. S'il avait connu moins d'urgence à restaurer son crédit, Mgr de Valois eût montré moins de hâte à se saisir des affaires du royaume.

Mais certains combats laissent le vainqueur plus embarrassé que le vaincu. Prenant en main le Trésor, Valois n'empoignait que du vent. Les envoyés qu'il dépêchait dans les bailliages et prévôtés, afin d'y récolter quelques fonds, s'en revenaient là mine piteuse. Tous avaient été précédés par les envoyés de Marigny ; et il ne restait plus un denier aux coffres des prévôts, lesquels avaient soldé les créances autant qu'ils le pouvaient, afin de présenter « des comptes bien nets ».

Et tandis qu'au rez-de-chaussée de son hôtel toute une foule se chauffait et s'abreuvait à ses frais, Valois, dans son cabinet, au premier étage, recevant visiteur après visiteur, cherchait les moyens d'alimenter non plus seulement ses caisses, mais encore celles de l'Etat.

Une matinée de la fin de cette semaine-là, il était enfermé avec son cousin Robert d'Artois. Ils attendaient un troisième personnage.

« Ce banquier, ce Lombard, vous l'avez bien mandé pour ce matin ? dit Valois. Je vous avoue que j'ai quelque hâte de le voir paraître.

— Eh ! mon cousin, répondit le géant, croyez que mon impatience n'est pas moins grande que la vôtre. Car selon la réponse que vous donnera Tolomei, vieux brigand s'il en est, mais qui s'y entend assez en finances, je m'apprête à vous présenter une requête.

— Laquelle ?

— Mes arrérages, mon cousin, les arrérages des revenus de ce comté de Beaumont qu'on m'a octroyé voici cinq ans pour feindre de me payer l'Artois mais dont je n'ai pas encore vu les lisières [8]. C'est plus de vingt mille livres à cette heure qu'on me doit, et sur quoi ce Tolomei me prête à usure. Mais puisque vous avez maintenant disposition du Trésor... »

Valois leva les bras au ciel.

« Mon cousin, dit-il, la tâche d'aujourd'hui con-

siste à trouver le nécessaire pour expédier Bouville vers Naples, car le roi me rebat l'oreille,
sans arrêt, de ce départ. Ensuite, la première affaire dont je m'occuperai sera, je vous en fais la
promesse, la vôtre. »

A combien de personnes, depuis huit jours,
n'avait-il pas donné la même assurance ?

« Mais le tour que Marigny vient de nous
jouer sera le dernier, je vous le promets aussi !
Le chien rendra gorge, et vos arrérages, nous les
prendrons sur ses biens. Car où croyez-vous que
soient passés les revenus de votre comté ? Dans
sa cassette, mon cousin, dans sa cassette ! »

Et Mgr de Valois, déambulant à travers son cabinet, exhala une fois de plus ses griefs contre
le coadjuteur, ce qui était manière d'éluder les
demandes.

Marigny, à ses yeux, portait la responsabilité
de tout. Un vol avait-il été commis dans Paris ?
Marigny ne tenait point en main les sergents du
guet, et peut-être même partageait avec les malfaiteurs. Un arrêt du Parlement défavorisait-il un
grand seigneur ? Marigny l'avait dicté.

Petits et grands maux, la voirie boueuse, l'in-
soumission des Flandres, la pénurie de blé,
n'avaient qu'un seul auteur et qu'une seule origine. L'adultère des princesses, la mort du roi
et même l'hiver précoce étaient imputables à
Marigny ; Dieu punissait le royaume d'avoir
si longtemps toléré un si malfaisant ministre !

D'Artois, d'ordinaire bruyant et hâbleur, regardait son cousin en silence et sans un instant se
lasser. En vérité, pour quelqu'un dont la nature

coulait un peu de même fontaine, Mgr de Valois avait de quoi fasciner.

Etonnant personnage que celui de ce prince à la fois impatient et tenace, véhément et retors, courageux de son corps mais faible devant la louange, et toujours animé d'ambitions extrêmes, toujours lancé dans de gigantesques entreprises et toujours échouant par manque d'une appréciation juste des réalités. La guerre était mieux son affaire que l'administration de la paix.

A l'âge de vingt-sept ans, mis par son frère à la tête des armées françaises, il avait ravagé la Guyenne en révolte ; le souvenir de cette expédition le laissait à jamais grisé. A trente et un ans, appelé par le pape Boniface et par le roi de Naples pour combattre les Gibelins et pacifier la Toscane, il s'était fait délivrer des indulgences de croisade, en même temps que les titres de vicaire général de la Chrétienté et de comte de Romagne. Or, sa « croisade », il l'avait employée à rançonner les villes italiennes, et à extraire des seuls Florentins deux cent mille florins d'or pour leur consentir la grâce d'aller piller ailleurs.

Ce grand seigneur mégalomane montrait un tempérament d'aventurier, des goûts de parvenu et des volontés de fondateur de dynastie. Aucun sceptre ne se trouvait libre dans le monde, aucun trône vacant, sans qu'aussitôt Valois n'étendît la main. Et sans jamais de succès.

Maintenant, à quarante-quatre ans révolus, Charles de Valois s'écriait volontiers :

« Je ne me suis tant dépensé que pour perdre ma vie. La fortune toujours m'a trahi ! »

C'est qu'il considérait alors tous ses rêves

écroulés, rêve d'Aragon, rêve d'un royaume d'Arles, rêve byzantin, rêve allemand, et les additionnait dans le grand songe d'un empire qui se fût étendu de l'Espagne au Bosphore et pareil au monde romain, mille ans auparavant, sous Constantin.

Il avait échoué à dominer l'univers. Au moins lui restait-il la France où déployer sa turbulence.

« Croyez-vous vraiment qu'il accepte, votre banquier ? demanda-t-il brusquement à d'Artois.

— Mais oui ; il exigera des gages, mais il acceptera.

— Voilà donc où je suis réduit, mon cousin ! dit Valois avec un grand désespoir qui n'était pas feint. A dépendre du bon vouloir d'un usurier siennois pour commencer à remettre quelque ordre en ce royaume. »

IV

LE PIED DE SAINT LOUIS

Messer Tolomei fut introduit dans le cabinet, et Robert d'Artois se déplia tout entier pour l'accueillir, paumes ouvertes.

« Ami banquier, je vous ai de grandes dettes, et vous ai toujours promis de vous payer à la première faveur que me ferait le sort. Eh bien ! ce moment est venu.

— Heureuse nouvelle, Monseigneur, répondit Spinello Tolomei en s'inclinant.

— Et d'abord, poursuivit d'Artois, je veux commencer par m'acquitter de la reconnaissance que je vous dois en vous procurant un client royal. »

Tolomei s'inclina de nouveau, et plus profondément, devant Charles de Valois, en disant :

« Qui ne connaît Monseigneur, au moins de vue et de renommée... Il a laissé de grands souvenirs à Sienne... »

Les mêmes qu'à Florence, à ceci près que Sienne

étant plus petite, il n'avait pris que dix-sept mille florins pour la « pacifier » !

« J'ai moi aussi gardé bonne impression de votre ville, dit Valois.

— Ma ville, à présent, Monseigneur, c'est Paris. »

Le teint bistre, la joue grasse et pendante, l'œil gauche fermé par la malice, Tolomei attendait qu'on l'invitât à s'asseoir, ce que fit Valois en lui désignant un siège. Car messer Tolomei méritait quelques égards. Ses confrères, marchands et banquiers italiens de Paris, l'avaient élu tout récemment, à la mort du vieux Boccanegra, « capitaine général » de leurs compagnies. Cette fonction, qui lui donnait contrôle ou connaissance de la quasi-totalité des opérations de banque dans le pays, lui conférait une puissance secrète, mais primordiale. Tolomei était une sorte de connétable du crédit.

« Vous n'ignorez pas, ami banquier, reprit d'Artois, le grand mouvement qui se fait ces jours-ci. Messire de Marigny, qui n'est pas fort votre ami, je crois, non plus qu'il n'est le nôtre, se trouve en mauvais point...

— Je sais..., murmura Tolomei.

— Aussi ai-je conseillé à Mgr de Valois, comme il avait besoin d'appeler un homme de finances, de s'adresser à vous dont l'habileté m'est connue autant que le dévouement. »

Tolomei remercia d'un petit sourire de courtoisie. Sous sa paupière close, il observait les deux grands barons, et pensait : « Si l'on voulait m'offrir la gérance du Trésor, on ne me ferait point tant de compliments. »

« Que puis-je pour votre service, Monseigneur ? demanda-t-il en se tournant vers Valois.

— Eh mais ! ce que peut un banquier, messer Tolomei ! répondit l'oncle du roi avec cette belle arrogance qu'il avait lorsqu'il s'apprêtait à demander de l'argent.

— Je l'entends bien ainsi, Monseigneur. Avez-vous des fonds à placer en bonnes marchandises qui doubleront de prix dans les six mois à venir ? Désirez-vous quelques parts dans le commerce de navigation qui se développe fort en ce moment où l'on doit apporter par mer tant de choses qui manquent ? Voilà de tels services que j'aurais honneur à vous rendre.

— Non, il ne s'agit point de cela, dit vivement Valois.

— Je le déplore, Monseigneur ; je le déplore pour vous. Les meilleurs gains se font par temps de pénurie...

— Ce que je souhaite, présentement, c'est que vous m'avanciez un peu d'argent frais... pour le Trésor. »

Tolomei prit une mine désolée.

« Ah ! Monseigneur, ne doutez point du désir que j'ai de vous obliger ; mais voilà bien la seule chose en quoi je ne puis vous satisfaire. Nos compagnies ont été fort saignées, ces mois derniers. Nous avons dû consentir au Trésor un gros prêt, qui ne nous rapporte rien, pour solder le coût de la guerre de Flandre...

— Cela, c'était l'affaire de Marigny.

— Certes, Monseigneur, mais c'était notre argent. De ce fait nos coffres sont un peu rouillés aux serrures. A combien se monte votre besoin ?

— Dix mille livres. »

Dans ce chiffre, Valois avait calculé cinq mille livres pour l'ambassade de Bouville, mille pour Robert d'Artois, et le reste pour faire face à ses propres embarras les plus pressants.

Le banquier joignit les mains devant son visage. « Sainte Madone ! Mais où les trouverais-je ? » s'écria-t-il.

Ces protestations devaient s'entendre comme préliminaires d'usage. D'Artois en avait prévenu Valois. Aussi ce dernier prit-il le ton d'autorité qui généralement en imposait à ses interlocuteurs.

« Allons, allons, messer Tolomei ! Ne rusons point, ni ne musons. Je vous ai mandé pour que vous fassiez votre métier, comme vous l'avez toujours exercé, avec profit, je pense.

— Mon métier, Monseigneur, répondit tranquillement Tolomei, mon métier est de prêter, il n'est point de donner. Or, depuis quelque temps, j'ai beaucoup donné, sans retour aucun. Je ne fabrique point de monnaie et n'ai pas inventé la pierre philosophale.

— Ne m'aiderez-vous donc point à vous débarrasser de Marigny ? C'est votre intérêt, il me semble !

— Monseigneur, payer tribut à son ennemi lorsqu'il est puissant, et puis payer encore pour qu'il ne le soit plus, est une double opération qui, vous en conviendrez, ne rapporte guère. Au moins faudrait-il savoir ce qui va suivre, et si l'on a chance de se rattraper. »

Charles de Valois, aussitôt, entonna le grand couplet qu'il récitait à tout venant depuis huit jours. Il allait, pour peu qu'on lui en procurât les

moyens, supprimer toutes les « novelletés » intro-
duites par Marigny et ses légistes bourgeois ; il
allait rendre l'autorité aux grands barons ; il allait rétablir la prospérité dans le royaume en revenant au vieux droit féodal qui avait fait la
grandeur du pays de France. Il allait restaurer
« l'ordre ». Comme tous les brouillons politiques,
il n'avait que ce mot à la bouche, et ne lui donnait d'autre contenu que les lois, les souvenirs ou
les illusions du passé.

« Avant longtemps, je vous assure qu'on sera
retourné aux bonnes coutumes de mon aïeul saint
Louis ! »

Ce disant il montrait, posé sur une sorte d'autel, un reliquaire en forme de pied et qui contenait
un os du talon de son grand-père ; ce pied était
d'argent avec des ongles d'or.

Car les restes du saint roi avaient été partagés,
chaque membre de la famille, chaque chapelle
royale voulant en garder une parcelle. La partie
supérieure du crâne était conservée dans un beau
buste d'orfèvrerie à la Sainte-Chapelle ; la comtesse Mahaut d'Artois, dans son château de Hes-
din, possédait quelques cheveux ainsi qu'un frag-
ment de mâchoire ; et tant de phalanges, d'esquil-
les, de débris avaient été ainsi répartis qu'on
pouvait se demander ce que contenait la tombe de
Saint-Denis. Si même la véritable dépouille y avait
jamais été déposée... Car une légende tenace courait en Afrique selon laquelle le corps du roi
franc avait été enseveli près de Tunis, tandis
que son armée ne rapportait en France qu'un
cercueil vide ou chargé d'un cadavre de rempla-
cement [9].

Tolomei alla baiser dévotement le pied d'argent, puis demanda :

« Pourquoi vous faut-il au juste ces dix mille livres, Monseigneur ? »

Force fut à Valois de révéler en partie ses projets immédiats. Le Siennois écoutait en hochant la tête et disait, comme s'il prenait mentalement des notes :

« Messire de Bouville, à Naples... oui... oui ; nous commerçons avec Naples par nos cousins les Bardi... Marier le roi... Oui, oui, je vous entends, Monseigneur... Rassembler le conclave... Ah ! Monseigneur, un conclave coûte plus cher à bâtir qu'un palais, et les fondations en sont moins solides... Oui, Monseigneur, oui, je vous écoute. »

Quand enfin il eut appris ce qu'il souhaitait savoir, le capitaine général des Lombards déclara :

« Tout cela est certes bien pensé, Monseigneur, et je vous souhaite le succès du fond du cœur ; mais rien ne m'assure que vous marierez le roi, ni que vous aurez un pape, ni même, si cela était, que je reverrai mon or, à supposer que je sois en mesure de vous le fournir. »

Valois jeta un regard irrité vers d'Artois. « Quel étrange bonhomme m'avez-vous amené là, semblait-il dire, et n'aurai-je tant parlé que pour n'en rien obtenir ? »

« Allons, banquier, s'écria d'Artois en se levant, quel intérêt demandes-tu ? Quels gages ? Quelle franchise ou autre avantage ?

— Mais aucun, Monseigneur, aucun gage, protesta Tolomei ; pas de vous, vous le savez bien, ni de Mgr de Valois dont la protection m'est trop chère. Je cherche, simplement... je cherche comment je pourrais vous aider. »

Puis, se tournant à nouveau vers le pied d'argent, il ajouta doucement :

« Mgr de Valois vient de dire qu'on allait rendre au royaume les bonnes coutumes de Mgr saint Louis. Mais qu'entend-il par là ? Va-t-on remettre en usage *toutes* les coutumes ?

— Certes, répondit Valois sans bien comprendre où l'autre voulait en venir.

— Va-t-on rétablir, par exemple, le droit pour les barons de battre monnaie sur leurs terres ? Si telle ordonnance était reprise, alors, Monseigneur, je serais mieux apte à vous appuyer. »

Valois et d'Artois se regardèrent. Le banquier pointait droit sur la plus importante des mesures que Valois projetait, et celle qu'il tenait la plus secrète parce qu'elle était la plus préjudiciable au Trésor et pouvait être la plus contestée.

En effet, l'unification de la monnaie dans le royaume, ainsi que le monopole royal de l'émettre, étaient des institutions de Philippe le Bel. Auparavant les grands seigneurs fabriquaient ou faisaient fabriquer, concurremment avec la monnaie royale, leurs propres pièces d'or et d'argent qui avaient cours en leurs fiefs ; et ils tiraient de ce privilège une grosse source de profit. En tiraient profit également ceux qui, comme les banquiers lombards, fournissaient le métal brut et jouaient sur la variation de taux d'une région à l'autre. Et Valois comptait bien sur cette « bonne coutume » pour relever sa fortune.

« Voulez-vous dire encore, Monseigneur, pour-

suivit Tolomei continuant à considérer le reliquaire comme s'il en faisait l'estimation, voulez-
vous dire que vous allez restaurer le droit de
guerre privée ? »

C'était là une autre des prérogatives féodales
abolies par le Roi de fer, afin d'empêcher les
grands vassaux de lever bannières à leur guise
et d'ensanglanter le royaume pour régler leurs
différends personnels, étaler leur gloriole, ou
secouer leur ennui.

« Ah ! que ce sain usage nous soit vite rendu,
s'écria Robert, et je ne tarderai pas à reprendre
le comté d'Artois sur ma tante Mahaut ! »

— Si vous avez besoin d'équiper des troupes,
Monseigneur, dit Tolomei, je puis vous obtenir
les meilleurs prix des armuriers toscans.

— Messer Tolomei, vous venez d'exprimer tout
juste les choses que je veux accomplir, dit alors
Valois se rengorgeant. Aussi, je vous demande de
marcher de confiance avec moi. »

Les financiers ne sont pas moins imaginatifs que
les conquérants, et c'est mal les connaître que de
les croire uniquement inspirés par l'appât du
gain. Leurs calculs souvent dissimulent des son-
ges abstraits de puissance.

Le capitaine général des Lombards rêvait lui
aussi, d'autre manière que le comte de Valois,
mais il rêvait ; il se voyait déjà fournissant en or
brut les grands barons du royaume, et dirigeant
leurs querelles puisqu'il en négocierait l'arme-
ment. Or qui tient l'or et tient les armes détient le vrai pouvoir. Messer Tolomei jouait avec
des pensées de règne...

« Alors, reprit Valois, êtes-vous décidé maintenant à me procurer la somme que je vous ai demandée ?

— Peut-être, Monseigneur, peut-être. Non que je sois en mesure de vous la donner moi-même ; mais je puis sans doute vous la trouver en Italie, ce qui conviendrait fort bien puisque c'est là justement que se rend votre ambassade. Pour vous, cela ne fait point de différence.

— Certes non », fut obligé de répondre Valois.

Mais l'arrangement était loin de combler ses vœux, lui rendant difficile, sinon même impossible, de puiser dans le prêt pour ses propres nécessités. Voyant Valois se rembrunir, Tolomei poussa le fer plus avant.

« Vous offrirez la garantie du Trésor ; mais chacun sait, chez nous en tout cas, que le Trésor est vide, et ces bruits-là vont vite à courir entre les comptoirs de banque. Je devrai donc engager ma propre garantie, et le ferai de grand cœur, Monseigneur, pour vous servir. Mais il sera nécessaire qu'un homme de ma compagnie, porteur des lettres de change, escorte votre envoyé afin de prendre l'argent en charge et d'en être comptable. »

Valois se renfrognait de plus en plus.

« Eh ! Monseigneur ! dit Tolomei, c'est que je ne vais point agir seul en cette affaire ; les compagnies d'Italie sont encore plus méfiantes que les nôtres, et j'ai besoin de leur donner toute assurance qu'elles ne seront point bernées. »

En vérité, il voulait avoir un émissaire dans l'expédition, un émissaire qui allait, en son nom et pour son compte, espionner l'ambassadeur, contrôler l'emploi des fonds, se faire instruire des projets d'alliance, connaître les dispositions des cardinaux, et travailler en sous main dans le sens qu'il lui commanderait. Messer Spinello Tolomei régnait déjà, un tout petit peu.

Robert d'Artois avait dit à Valois que le Siennois exigerait un gage ; ils n'avaient pas pensé que le gage, ce pouvait être un morceau du pouvoir.

Force était à l'oncle du roi, et pour satisfaire celui-ci, d'en passer par les conditions du banquier.

« Et qui donc allez-vous désigner, qui ne fasse point mauvaise figure auprès de messire de Bouville ? demanda Valois.

— Je vais y penser, Monseigneur, je vais y penser. Je n'ai guère de monde en ce moment. Mes deux meilleurs voyageurs sont sur les routes... Quand donc messire de Bouville devrait-il partir ?

— Mais demain, s'il se peut, ou le jour d'après.

— Et ce garçon, suggéra Robert d'Artois, qui était allé pour moi en Angleterre...

— Mon neveu Guccio ? dit Tolomei.

— C'est cela même, votre neveu. Vous l'avez toujours auprès de vous ?... Eh bien ! que ne l'envoyez-vous ? Il est fin, délié d'esprit, et il a bonne tournure. Il aidera notre ami Bouville, qui ne doit guère parler le langage d'Italie, à se débrouiller sur les chemins. Soyez rassuré, mon cousin, ajouta d'Artois s'adressant à Valois ; ce garçon-là est de bonne recrue.

— Il va fort me manquer ici, dit Tolomei. Mais soit, Monseigneur, je vous l'abandonne. Il est dit que vous obtiendrez toujours de moi tout ce que vous souhaitez. »

Bientôt après il prit congé.

Dès que Tolomei fut sorti du cabinet, Robert d'Artois s'étira un grand coup, et dit :

« Eh bien, Charles, m'étais-je trompé ? »

Comme tout emprunteur après une négociation de cette nature, Valois était à la fois content et mécontent ; et il se composa une attitude qui ne montrât trop ni son soulagement ni son dépit. S'arrêtant à son tour devant le pied de saint Louis, il dit :

« C'est cela, voyez-vous, cousin, c'est la vue de cette sainte relique qui a décidé votre homme. Allons, tout respect de ce qui est noble n'est point perdu en France, et ce royaume peut être redressé !

— Un miracle, en quelque sorte », dit le géant en clignant de l'œil.

Ils réclamèrent leurs manteaux et leurs escortes pour aller porter au roi la bonne nouvelle du départ de l'ambassade.

Dans le même temps, Tolomei informait son neveu Guccio Baglioni d'avoir à se mettre en route dans les deux jours, et lui énumérait ses instructions. Le jeune homme ne témoigna pas d'un grand enthousiasme.

« *Come sei strano, figlio mio !* * s'écria Tolomei. Le sort te donne l'occasion d'un beau voyage, sans qu'il t'en coûte un denier, puisque c'est le Trésor, au bout du compte, qui paiera. Tu vas connaître Naples, la cour des Angevins, y côtoyer

---

* Comme tu es étrange, mon garçon !

les princes et, si tu es habile, t'y faire des amis. Et peut-être vas-tu assister aux préliminaires d'un conclave. C'est chose passionnante qu'un conclave ! Ambitions, pressions, argent, rivalités... et même la foi chez certains. Tous les intérêts du monde jouent dans la partie. Tu vas voir cela. Et tu me fais la face longue, comme si je t'apprenais un malheur. A ta place et à ton âge, j'aurais sauté de joie, et je serais déjà à boucler mon portemanteau... Pour prendre cette figure, il faut qu'il y ait une fille que tu regrettes de quitter. Ne serait-ce pas la demoiselle de Cressay, par hasard ? »

Le teint couleur d'huile d'olive du jeune Guccio fonça un peu, ce qui était sa façon de rougir.

« Elle t'attendra, si elle t'aime, reprit le banquier. Les femmes sont faites pour attendre. On les retrouve toujours. Et si tu crains qu'elle ne t'oublie, profite donc de celles que tu rencontreras sur ton chemin. La seule chose qu'on ne retrouve pas, c'est la jeunesse, et la force pour courir le monde. »

V

MESDAMES DE HONGRIE,
DANS UN CHATEAU DE NAPLES

Il est des villes plus fortes que les siècles ; le temps ne les change pas. Les dominations s'y succèdent ; les civilisations s'y déposent comme des alluvions ; mais elles conservent à travers les âges leur caractère, leur parfum propre, leur rythme et leur rumeur qui les distinguent de toutes les autres cités de la terre. Naples, de toujours, fut de ces villes-là. Telle elle avait été, telle elle restait et resterait au long des âges, à demi africaine et à demi latine, avec ses ruelles serrées, son grouillement criard, son odeur d'huile, de safran et de poisson frit, sa poussière couleur de soleil, son bruit de grelots au cou des mules.

Les Grecs l'avaient organisée, les Romains l'avaient conquise, les Barbares l'avaient ravagée, les Byzantins et les Normands tour à tour s'y étaient installés. Naples avait absorbé, utilisé, fondu leurs arts, leurs lois et leur vocabulaire ; l'imagination de la rue se nourrissait de leurs souvenirs, de leurs rites et de leurs mythes.

Le peuple n'était ni grec, ni romain, ni byzantin ; il était le peuple napolitain de toujours, peuple pareil à nul autre au monde, qui use de la gaieté comme d'un masque de mime pour dissimuler la tragédie de la misère, qui emploie l'emphase pour donner du piment à la monotonie des jours, et dont l'apparente paresse n'est dictée que par la sagesse de ne point feindre l'activité lorsqu'on n'a rien à faire ; un peuple qui toujours aima la vie et la parole, toujours dut ruser avec le destin, et toujours montra grand mépris de l'agitation militaire parce que la paix, qui ne lui fut que rarement dispensée, jamais ne l'ennuya.

En ce temps-là, et depuis un demi-siècle environ, Naples était passée de la domination des Hohenstaufen à celle des princes d'Anjou. L'établissement de ces derniers, appelés par le Saint-Siège, s'était accompli au milieu des meurtres, des répressions et des massacres qui ensanglantaient alors la péninsule. Les apports les plus certains de la nouvelle monarchie se voyaient d'une part aux industries de laine qu'elle avait fondées dans les faubourgs pour en tirer revenus, d'autre part à l'énorme résidence, mi-forteresse et mi-palais, qu'elle s'était fait construire près de la mer par l'architecte français Pierre de Chaulnes, le Château-Neuf, gigantesque donjon rose érigé vers le ciel et que les Napolitains, cédant à leur humour autant qu'à leur attachement aux vieux cultes phalliques, avaient immédiatement surnommé le *Maschio Angioino*, le Mâle Angevin.

Un matin de janvier 1315, dans une pièce haute de ce château, Roberto Oderisi, jeune peintre napolitain élève de Giotto, contemplait le portrait qu'il venait d'achever et qui constituait le centre d'un tableau à trois volets. Immobile devant son chevalet, un pinceau entre les dents, il ne parvenait pas à s'arracher à l'examen du tableau où l'huile encore fraîche avait des reflets mouillés. Il se demandait si une touche de jaune plus pâle, ou au contraire de jaune légèrement plus orangé, n'aurait pas mieux rendu l'éclat doré des cheveux, si le front était assez clair, si l'œil, ce bel œil bleu un peu rond, avait bien l'expression de la vie. Les traits étaient exactement reproduits, ô certes oui, les traits... mais le regard ? A quoi tient le regard ? A un point de blanc sur la prunelle ? A une ombre un peu plus profonde au coin de la paupière ? Comment arriver jamais, avec des couleurs broyées et disposées les unes auprès des autres, à restituer la réalité d'un visage et les étranges variations de la lumière sur le contour des formes ! Peut-être n'était-ce pas l'œil, après tout, qui se trouvait en cause, mais la transparence de la narine, ou bien le clair éclat des lèvres...

« Je peins trop de Vierges, avec toujours la même inclinaison de visage, et toujours la même expression d'extase et d'absence... », pensa le peintre.

« Alors, signor Oderisi, est-ce fini ? » demanda la belle princesse qui lui servait de modèle.

Depuis une semaine, elle passait trois heures chaque jour assise dans cette pièce, posant pour un portrait demandé par la cour de France.

A travers la grande ogive au vitrage ouvert, on apercevait les mâtures des bateaux d'Orient amarrés dans le port et, au-delà, le développement de la baie de Naples, la mer immensément bleue sous le poudroiement du soleil, le profil triangulaire du Vésuve. L'air était doux, et le jour heureux à vivre.

Oderisi ôta son pinceau de sa bouche.

« Hélas ! oui, répondit-il, c'est fini.

— Pourquoi hélas ?

— Parce que je vais être privé de la félicité de voir chaque matin Donna Clemenza, et qu'il me semblera désormais que le soleil ne se lève plus. »

C'était là petit compliment, car déclarer à une femme, qu'elle soit princesse ou servante d'auberge, qu'on va tomber gravement malade de ne pas la revoir ne constitue pour un Napolitain que le minimum obligé de la courtoisie. Et la dame de parage qui brodait, silencieuse, dans un coin de la pièce, avec charge de veiller sur la décence de l'entretien, n'y trouva pas motif à seulement lever la tête.

« Et puis, Madame, et puis... je dis hélas ! parce que ce portrait n'est point bon, ajouta Oderisi. Il ne donne pas de vous une image de beauté aussi parfaite que la vérité. »

On l'eût approuvé qu'il se fût vexé ; mais se critiquant, il était sincère. Il éprouvait le chagrin de l'artiste devant l'œuvre achevée, à n'avoir pu mieux faire. Ce jeune homme de dix-sept ans présentait déjà les caractères du grand peintre.

« Puis-je voir ? demanda Clémence de Hongrie.

— Ah ! Madame, ne m'accablez point. Je sais

trop que c'est à mon maître qu'aurait dû revenir l'honneur d'accomplir ce portrait. »

On avait fait appel, effectivement, à Giotto, lui dépêchant un chevaucheur à travers l'Italie. Mais l'illustre Toscan, occupé cette année-là à peindre la vie de saint François d'Assise sur les murs de la Santa-Croce, à Florence, avait répondu, du haut de ses échafaudages, qu'on s'adressât à son jeune disciple de Naples.

Clémence de Hongrie se leva et s'approcha du chevalet. Haute et blonde, elle avait moins de grâce que de grandeur, et moins de féminité peut-être que de noblesse. Mais l'impression un peu sévère que produisait son maintien était balancée par la pureté du visage, l'expression émerveillée du regard.

« Mais, signor Oderisi, s'écria-t-elle, vous m'avez pourtraite plus belle que je ne suis !

— J'ai fidèlement suivi vos traits, Donna Clemenza ; et aussi je me suis appliqué à peindre votre âme.

— Alors, j'aimerais que mon miroir eût autant de talent que vous. »

Ils se sourirent, se remerciant mutuellement de leurs compliments.

« Espérons que cette image plaira en France... je veux dire à mon oncle de Valois », ajouta-t-elle en montrant un peu de confusion.

Car une fiction, dont personne n'était dupe, voulait que le portrait fût destiné à Charles de Valois, pour la grande affection que celui-ci portait à sa nièce.

Clémence, ce disant, se sentit rougir. A vingt-deux ans, elle rougissait encore facilement et s'en faisait reproche comme d'une faiblesse. Combien de fois sa grand-mère, la reine Marie de Hongrie, ne lui avait-elle pas répété : « Clémence, on ne rougit point lorsqu'on est princesse, et promise à devenir reine ! »

Se pouvait-il vraiment qu'elle devînt reine ? Les yeux tournés vers la mer, elle rêvait à ce cousin lointain, ce roi inconnu dont on lui avait tant parlé depuis vingt jours qu'était arrivé de Paris un ambassadeur officieux...

Messire de Bouville lui avait représenté le roi Louis X tel qu'un prince malheureux, parce que durement atteint dans ses affections, mais doué de tous les agréments de visage, d'esprit et de cœur qui pouvaient plaire à une dame de haut lignage. Quant à la cour de France, on devait y voir le modèle des cours, offrant un parfait mélange des joies de famille et des grandeurs de la royauté... Or, rien n'était mieux fait pour séduire Clémence de Hongrie que la perspective d'avoir à guérir les blessures d'âme d'un homme éprouvé coup sur coup par la trahison d'une épouse indigne et la mort hâtive d'un père adoré. Pour Clémence, l'amour ne se pouvait séparer du dévouement. A cela s'ajoutait l'orgueil d'avoir été choisie par la France... « Certes, j'aurais longuement attendu un établissement, au point que je n'en espérais plus. Et voilà peut-être que Dieu va me donner le meilleur époux et le plus heureux royaume. » Aussi, depuis trois semaines elle vivait dans le sentiment du miracle et débordait de reconnaissance envers le Créateur et l'univers entier.

Une tenture, brodée de lions et d'aigles, se

souleva, et un jeune homme de petite taille, au nez maigre, aux yeux ardents et gais, aux cheveux très noirs, entra en s'inclinant.

« Oh ! signor Baglioni, vous voilà... », dit Clémence de Hongrie d'un ton joyeux.

Elle aimait bien le jeune Siennois qui servait d'interprète à l'ambassadeur et donc, pour elle, faisait partie des messagers du bonheur.

« Madame, dit-il, messire de Bouville m'envoie vous demander s'il peut venir vous rendre sa visite ?

— J'ai toujours grand plaisir à voir messire de Bouville. Mais approchez, et dites-moi ce que vous pensez de cette image qui est maintenant achevée.

— Je dis, Madame, répondit Guccio, après être resté un instant silencieux devant le tableau, je dis que ce portrait vous est fidèle à merveille, et qu'il montre la plus belle dame que mes yeux aient admirée. »

Oderisi, les avant-bras tachés d'ocre et de vermillon, buvait la louange.

« Vous n'aimez donc point quelque demoiselle en France, comme je l'avais cru comprendre ? dit Clémence en souriant.

— Certes, j'aime, Madame...

— Alors vous n'êtes point sincère ou devers elle ou devers moi, messire Guccio, car j'ai toujours ouï dire que pour qui aime, il n'est de plus beau visage au monde que celui dont on est épris.

— La dame qui a ma foi et qui me garde la sienne, répliqua Guccio avec élan, est à coup sûr la plus belle qui soit... après vous, Donna Clé-

menza, et ce n'est point mal aimer que de dire
le vrai. »

Depuis qu'il était à Naples, et se trouvait mêlé
aux projets d'un mariage de roi, le neveu du banquier Tolomei se plaisait à prendre des airs de
héros de chevalerie, blessé d'amour pour une
belle lointaine. En vérité, sa passion s'accommo-
dait assez bien de l'éloignement, et il n'avait
laissé perdre aucune occasion des plaisirs qui
s'offrent au voyageur.

La princesse Clémence, pour sa part, se sentait
pleine de curiosité et de dispositions affectueuses
à l'égard des amours d'autrui ; elle aurait voulu
que tous les jeunes gens et toutes les jeunes
filles de la terre fussent heureux.

« Si Dieu veut que j'aille un jour en France... »
Elle rougit à nouveau.

« ... j'aurai plaisir à connaître celle à qui vous
pensez tant, et que vous allez épouser, je le souhaite.

— Ah ! Madame, fasse le Ciel que vous veniez !
Vous n'aurez pas de plus fidèle serviteur que
moi, et, j'en suis certain, de plus dévouée servante qu'elle. »

Et il ploya le genou, avec le meilleur air, comme s'il se fût trouvé en tournoi devant la loge
des dames. Elle le remercia d'un geste de la
main ; elle avait de beaux doigts fuselés, un peu
longs du bout, pareils aux doigts qu'on voyait aux
saintes sur les fresques.

« Ah ! le bon peuple, les gentilles gens »,
pensait Clémence en regardant le petit Italien
qui, en ce moment, lui représentait toute la
France.

« Pouvez-vous me la nommer, demanda-t-elle encore, ou bien est-ce un secret ?

— Ce n'est point un secret pour vous, s'il vous plaît de le savoir, Donna Clemenza. Elle se nomme Marie... Marie de Cressay. Elle est de noble lignage ; son père était chevalier ; elle m'attend dans son château qui est à dix lieues de Paris... Elle a seize ans.

— Eh bien ! soyez heureux, je vous le souhaite, signor Guccio ; soyez heureux avec votre belle Marie de Cressay. »

Guccio sortit et s'élança dans les galeries en dansant. Il voyait déjà la reine de France assister à ses noces. Encore fallait-il, pour qu'un si beau projet vît le jour, que le roi Louis, d'une part, fût en mesure d'épouser Donna Clemenza, et que la famille de Cressay, d'autre part, voulût bien accorder à un Lombard la main de Marie...

Le jeune homme trouva Hugues de Bouville en l'appartement où on l'avait logé. L'ancien grand chambellan, un miroir à la main, cherchait la bonne lumière et tournait sur lui-même pour s'assurer de son apparence et mettre en place les mèches noires et blanches qui le faisaient ressembler à un gros cheval pie. Il en était à se demander s'il n'aurait pas eu avantage à se teindre.

Les voyages enrichissent la jeunesse ; mais il arrive aussi qu'ils troublent l'âge mûr. L'air italien avait grisé Bouville. Ce brave seigneur, fort attentif à ses devoirs, n'avait pu résister, dès Florence, à tromper sa femme, et il s'était aussitôt jeté dans une église pour s'en confesser. A Sienne, où Guccio connaissait quelques dames installées dans la galanterie, il avait récidivé, mais avec déjà moins de remords. A Rome, il s'était conduit comme s'il eût rajeuni de vingt ans. Naples, prodigue en voluptés faciles, à condition qu'on fût muni d'un peu d'or, faisait vivre Bouville dans une sorte d'enchantement. Ce qui partout ailleurs eût passé pour vice prenait ici un aspect désarmant de naturel et presque de naïveté. De petits maquereaux de douze ans, guenilleux et dorés, vantaient la croupe de leur sœur aînée avec une éloquence antique, puis restaient sagement assis dans l'antichambre à se gratter les pieds. Et l'on avait en plus le sentiment d'accomplir une bonne action, en permettant à une famille entière de se nourrir pendant une semaine. Et puis le plaisir de se promener au mois de janvier sans manteau ! Bouville s'était mis à la dernière mode et portait maintenant des surcots à manches de deux couleurs, rayées en travers. Bien sûr, on l'avait un peu volé au coin de chaque rue. Faible prix, vraiment, pour tant d'agrément !

« Mon ami, dit-il à l'entrée de Guccio, savez-vous que j'ai maigri au point qu'il n'est pas impossible que je reprenne taille fine ? »

La supposition témoignait de beaucoup d'optimisme.

« Messire, dit le jeune homme, Donna Clemenza est prête à vous recevoir.

— J'espère que le portrait n'est point achevé ?

— Il l'est, messire. »

Bouville poussa un fort soupir.

« Alors, c'est le signe qu'il nous faut retourner en France. J'en ai regret, je l'avoue, car j'ai pris cette nation en amitié, et j'aurais bien donné quelques florins à ce peintre pour qu'il allongeât un peu son travail. Allons, les meilleures choses ont une fin. »

Ils échangèrent un sourire de connivence, et, pour se rendre aux appartements de la princesse, le gros ambassadeur prit affectueusement Guccio par le bras.

Entre ces deux hommes, si différents par l'âge, l'origine et la situation, une véritable amitié avait pris naissance, et s'était, d'étape en étape, affermie. Aux yeux de Bouville, le jeune Toscan semblait l'incarnation même de ce voyage, avec ses libertés, ses découvertes et le sentiment de la jeunesse retrouvée. En outre, le garçon se montrait actif, subtil, discutait avec les fournisseurs, administrait la dépense, aplanissait les difficultés, organisait les plaisirs. Quant à Guccio, il partageait, grâce à Bouville, un train de grand seigneur et vivait dans la familiarité des princes. Ses fonctions mal définies d'interprète, de secrétaire et d'argentier lui valaient des égards. Et puis Bouville n'était pas ménager de ses souvenirs ; et pendant les longues chevauchées, ou bien le soir, au souper dans les auberges ou les hôtelleries des monastères, il avait instruit Guccio de bien des choses touchant le roi Philippe le Bel, la cour de France, les familles royales. De la sorte, ils s'ouvraient mutuellement des mondes inconnus et se complétaient à merveille, formant un curieux attelage où l'adolescent, souvent, guidait le barbon.

Ils pénétrèrent ainsi chez Donna Clemenza ; mais leur air d'insouciance s'effaça aussitôt qu'ils virent, plantée devant le tableau, la vieille reine mère Marie de Hongrie. Ployés en révérences, ils avancèrent d'un pied prudent.

Madame de Hongrie était âgée de soixante-dix ans. Veuve du roi de Naples Charles II le Boiteux, mère de treize enfants dont elle avait déjà vu mourir près de la moitié, elle gardait de ses maternités un bassin large, et de ses deuils de longues rides qui joignaient ses paupières à sa bouche édentée. Elle était haute de taille, grise de teint, neigeuse de cheveu, avec sur toute la physionomie une expression de force, de décision, d'autorité que la vieillesse n'avait pas atténuée. Elle portait couronne en tête dès son réveil. Apparentée à toute l'Europe et revendiquant pour sa descendance le royaume de Hongrie, elle avait fini, après vingt ans de lutte, par l'obtenir.

Maintenant que son petit-fils Charles-Robert ou Charobert, héritier de son fils aîné Charles-Martel, mort prématurément, occupait le trône de Buda, que la canonisation de son second fils, le défunt évêque de Toulouse, semblait chose assurée, que son troisième fils, Robert, régnait sur Naples et les Pouilles, que le quatrième était prince de Tarente et empereur titulaire de Constantinople, que le cinquième était duc de Durazzo, et que ses filles survivantes se trouvaient mariées l'une au roi de Majorque, l'autre à Frédéric d'Aragon, la reine Marie ne considérait pas encore sa tâche terminée ; elle s'occupait de sa petite-fille, Clémence l'orpheline, la sœur de Charobert, qu'elle avait élevée.

Se tournant brusquement vers Bouville, comme un faucon de montagne repère un chapon, elle lui fit signe d'approcher.

« Alors, messire, demanda-t-elle, que vous semble de cette image ? »

Bouville entra en méditation devant le chevalet. Ce qu'il contemplait, c'était moins le visage de la princesse que les deux volets latéraux destinés à se rabattre pour protéger le tableau, et sur lesquels Oderisi avait peint d'une part le Maschio Angioino et de l'autre, dans une perspective en superposition, le port et la baie de Naples. Regardant la figuration de ce paysage qu'il allait devoir incessamment quitter, Bouville éprouvait déjà de la nostalgie.

« L'art m'en paraît sans reproche, dit-il enfin. Sinon que la bordure est peut-être un peu simple pour encadrer un visage si beau. Ne croyez-vous pas qu'un feston doré... »

Il cherchait à gagner un jour ou deux.

« Il n'importe, messire, coupa la vieille reine. Trouvez-vous qu'il ressemble ? Oui. Alors voilà l'important. L'art est objet frivole et il m'étonnerait que le roi Louis se souciât beaucoup de guirlandes. C'est le visage qui l'intéresse, n'est-ce pas vrai ? »

Elle ne mâchait pas ses mots, et, à la différence de toute la cour, ne se souciait pas de dissimuler le motif de l'ambassade. Toutefois, elle congédia Oderisi en lui disant :

« Votre travail est bien fait, jeune homme ; vous vous ferez compter votre dû par notre trésorier. Et maintenant retournez peindre notre église, et veillez à ce que le diable y soit bien noir et les anges bien resplendissants. »

Et pour se débarrasser aussi de Guccio, elle lui commanda d'aider le peintre à emporter ses pin-

ceaux. Du même ton, elle envoya la dame de parage broder ailleurs.

Puis, les témoins écartés, elle revint à Bouville.

« Ainsi donc, messire, vous allez repartir pour
la France.

— Avec un infini regret, Madame, car toutes les
bontés qui m'ont été faites ici...

— Mais enfin, dit-elle en l'interrompant, votre
mission est accomplie. Du moins, presque. »

Ses yeux noirs étaient plantés dans ceux de
Bouville.

« Presque, Madame ?

— Je veux dire que cette affaire est réglée dans
le principe, puisque le roi mon fils et moi-même
donnons accord au projet. Mais cet accord, messire... »

Elle eut un mouvement de la mâchoire qui fit
saillir les tendons de son cou.

« ... cet accord, ne l'oubliez pas, reste à condition. Car si nous nous tenons pour très hautement
honorés par les intentions du roi de France notre
cousin, si nous sommes prêts à l'aimer avec une
fidélité toute chrétienne et à lui donner nombreuse descendance, car les femmes en notre famille
sont fécondes, il n'en est pas moins vrai que notre
réponse définitive demeure soumise à ce que votre
maître soit libre de Madame de Bourgogne, très
promptement et très réellement. Nous ne saurions
nous contenter d'une répudiation acceptée par des
évêques de complaisance, et que l'Eglise en haut
lieu pourrait contester.

— Nous obtiendrons l'annulation avant peu,
Madame, comme j'ai eu l'honneur de vous en
assurer.

— Messire, nous sommes entre nous. Ne m'assurez donc point de ce qui n'est pas fait. »

Bouville toussota pour cacher son embarras.

« Cette annulation, répondit-il, est le premier souci de Mgr de Valois, qui fera tout pour la diligenter, et considère d'ores à présent la chose pour acquise...

— Oui, oui, grommela la vieille reine, je connais mon gendre ! En paroles, rien ne lui résiste, et ses chevaux ne se cassent point les jambes tant qu'il ne les a pas jetés dans un ravin. »

Bien que sa fille Marguerite fût morte quinze ans auparavant et que Charles de Valois, depuis, se fût remarié deux fois, elle continuait de l'appeler « mon gendre ».

« Il est bien entendu, aussi, que nous ne donnons point de terre. La France m'en paraît avoir à suffisance. Naguère, quand notre fille épousa Charles, elle lui apporta l'Anjou en dot, ce qui était gros. Mais l'autre année, quand une fille du second lit de Charles vint à s'unir à notre fils de Tarente, elle nous apporta Constantinople. »

Et la vieille reine, de sa main goutteuse, eut un geste pour signifier que ce beau titre n'était que du vent.

En retrait près de la fenêtre ouverte, et regardant la mer, Clémence se sentait gênée d'assister à ce débat. L'amour devait-il s'accompagner de ces préliminaires qui ressemblaient fort à une discussion de traité ? C'était de son bonheur après tout qu'il s'agissait, et de sa vie. On avait refusé pour elle, sans lui demander son avis, tant de partis jugés insuffisants ! Et voilà que s'offrait le trône de France, alors qu'un mois plus tôt elle se demandait s'il ne lui faudrait pas entrer en religion ! Elle trouvait que sa grand-mère prenait un ton bien cassant. Pour sa part, elle était disposée à traiter plus doucement la chance, et à se montrer moins pointilleuse sur le droit canon... Très loin dans la baie, un navire de haut bord mettait à la voile vers les côtes de Barbarie.

« Sur mon chemin de retour, Madame, disait Bouville, je m'arrête en Avignon, chargé des instructions de Mgr de Valois. Et nous aurons avant peu ce pape qui nous fait défaut.

— J'aime à vous croire, répondit Marie de Hongrie. Mais nous désirons que tout soit réglé pour l'été. Nous ne sommes pas en peine de prétendants à la main de Madame Clémence ; d'autres princes la souhaitent pour épouse. Nous ne pouvons accorder de longs délais. »

Les tendons de son cou saillirent à nouveau.

« Sachez qu'en Avignon, continua-t-elle, le cardinal Duèze est notre candidat. Je souhaite fort qu'il soit aussi celui du roi de France. Vous obtiendrez l'annulation d'autant plus vite, s'il devient pape, qu'il nous doit beaucoup et nous est tout acquis. De plus, Avignon est terre angevine, dont nous sommes suzerains, sous le roi de France, bien sûr. Ne l'oubliez pas. Allez présenter vos adieux au roi mon fils et que tout se passe selon vos vœux... Avant l'été, messire, je vous le rappelle, avant l'été ! »

Bouville, s'étant incliné, se retira.

« Madame ma grand-mère, dit Clémence d'une voix inquiète, croyez-vous que... »

La vieille reine lui frappa à petits coups sur le bras.

« Tout cela est dans la main de Dieu, mon enfant, et il ne nous arrive rien que ce qu'Il veut. »

Et elle sortit à son tour.

« Le roi Louis a peut-être bien, lui, d'autres princesses en tête, pensa Clémence une fois seule. Est-ce habile de le presser ainsi, et ne va-t-il pas porter ailleurs son choix ? »

Elle se tenait devant le chevalet, les mains croisées sur la taille, ayant repris machinalement l'attitude de son portrait.

« Un roi aura-t-il plaisir, se demanda-t-elle encore, à poser ses lèvres sur ces mains-là ? »

VI

LA CHASSE AUX CARDINAUX

Bouville et Guccio s'embarquèrent le surlendemain matin. Il avait été décidé, en effet, qu'ils
rentreraient par mer, pour gagner du temps. Dans
leur bagage, ils emportaient un petit coffre serti
de métal qui contenait l'or délivré par les Bardi
de Naples, et dont Guccio gardait la clef sur sa
poitrine. Accoudés à la rambarde du château d'arrière, Bouville et Guccio regardèrent, avec mélancolie, s'éloigner Naples, le Vésuve et les îles. On
apercevait des groupes de voiles blanches quittant
les rivages pour la pêche de jour. Puis ce fut la
haute mer.

La Méditerranée était calme, avec juste ce qu'il
fallait de brise pour pousser le navire. Guccio, qui
se souvenait de sa détestable traversée de la Man-
che l'année précédente, et avait conçu quelque
alarme à remettre le pied sur un vaisseau, se ré-
jouissait de n'être point malade. Il lui suffit de
deux heures pour prendre en estime la belle sta-

bilité du bâtiment, ainsi que sa propre vaillance ; et pour un peu il se fût comparé à messer Marco Polo, le grand navigateur vénitien, dont le *Divisement du Monde*, composé récemment d'après ses voyages, était fort lu et fort célèbre ces années-là. Guccio allait et venait de gaillard en gaillard, s'instruisait des termes de marine et se jouait à lui-même l'homme d'aventures, cependant que l'ancien grand chambellan continuait de regretter la ville merveilleuse à laquelle il avait dû s'arracher.

Après cinq jours, ils abordèrent à Aigues-Mortes. De ce lieu, saint Louis jadis était parti pour la croisade ; mais la construction du port n'avait été véritablement achevée que sous Philippe le Bel.

« Allons, dit le gros Bouville, s'efforçant de secouer sa nostalgie, il faut maintenant nous mettre aux tâches urgentes. »

Les écuyers eurent à trouver chevaux et mules, les valets à arrimer les portemanteaux, le portrait d'Oderisi emballé dans une caisse, et le coffre des Bardi que Guccio ne quittait point de l'œil.

Le temps était aigre, nuageux, et Naples déjà ne semblait plus que le souvenir d'un rêve.

Une journée et demie de chevauchée, avec un arrêt en Arles, fut nécessaire pour gagner Avignon. Durant ce trajet, messire de Bouville prit froid. Trop habitué au soleil d'Italie, il avait négligé d'assez se couvrir. Or, les hivers de Provence sont brefs, mais parfois rudes. Toussant, crachant et mouchant, Bouville pestait sans relâche contre les rigueurs d'un pays qui lui paraissait n'être plus le sien.

L'arrivée en Avignon, sous des rafales de mistral, fut décevante, car il n'y avait pas un seul cardinal dans la ville. Voilà qui était au moins étrange pour une cité où résidait la papauté ! Personne ne put renseigner l'envoyé du roi de France ; personne ne savait, ou ne voulait savoir.

Le palais pontifical était clos, portes et fenêtres, et gardé seulement par un portier muet ou demeuré [10]. Bouville et Guccio décidèrent alors, la nuit venant, d'aller prendre gîte dans la forteresse de Villeneuve, de l'autre côté du pont. Là, un capitaine fort maussade et fort avare de commentaires leur apprit que les cardinaux se trouvaient sans doute à Carpentras, et qu'il fallait les chercher plutôt de ce côté-là. Et il fournit aux voyageurs, mais sans empressement, le repas et le coucher.

« Ce capitaine d'archers, dit Bouville à Guccio, ne se montre guère avenant à qui se présente de la part du roi. J'en ferai remarque en rentrant à Paris. »

A l'aube, tout le monde était en selle pour franchir les six lieues qui séparent Avignon de Carpentras. Bouville avait repris un peu d'espoir. Car le pape Clément V ayant prescrit par ses volontés dernières que le conclave se réunirait à Carpentras, on pouvait penser, si les cardinaux y étaient retournés, que le conclave siégeait enfin ou se disposait à siéger.

A Carpentras, il fallut déchanter. Pas l'ombre d'un chapeau rouge. En revanche, il gelait, et le vent qui continuait de souffler s'engouffrait dans les ruelles et coupait les hommes au visage. A cela s'ajoutait, pour les voyageurs, un vague sentiment d'insécurité ou de machination ; car, à peine Bouville et les siens étaient-ils sortis d'Avignon, le matin, que deux cavaliers les avaient dépassés, sans leur rendre leur salut, galopant à toute force vers Carpentras.

« C'est étrange, avait remarqué Guccio ; on dirait que ces gens n'ont d'autre souci que d'arriver avant nous où nous allons. »

La petite cité était déserte ; les habitants semblaient s'être terrés ou avoir fui.

« Serait-ce notre approche, dit Bouville, qui produit ainsi le vide devant nous ? Notre escorte n'est point si nombreuse qu'elle puisse effrayer. »

A la cathédrale ils ne découvrirent qu'un vieux chanoine qui feignit d'abord de comprendre qu'ils voulaient se confesser, et les entraîna vers la sacristie. Il s'exprimait par chuchotements ou par gestes. Guccio, qui craignait un guet-apens et s'inquiétait pour les coffres laissés avec les mules devant le portail de l'église, avançait la main sur sa dague. Le vieux chanoine, après s'être fait répéter six fois les questions, avoir réfléchi, balancé la tête et épousseté son camail pelé, consentit enfin à leur confier que les cardinaux s'étaient retirés à Orange. On l'avait laissé là, tout seul...

« A Orange ? » s'écria messire de Bouville.

Là-dessus, il fut pris d'éternuements, dont le bruit se répercuta dans la cathédrale entière.

« Mais par le corps-dieu, dit-il quand il eut retrouvé souffle, ce ne sont point des prélats, mais des hirondelles que vos cardinaux ! Etes-vous sûr au moins qu'ils y soient, à Orange ?

— Sûr..., répondit le vieux chanoine, choqué du juron qu'il venait d'entendre. De quoi peut-on être sûr en ce monde, si ce n'est de l'existence de Dieu ? Je pense qu'à Orange, pour tout le moins, vous pourrez joindre les Italiens. »

Puis il se tut, comme s'il craignait d'en avoir déjà trop dit. Il avait certainement des rancœurs à assouvir, mais n'osait pas se livrer.

« Eh bien, soit ! Dirigeons-nous sur Orange, décida Bouville avec une lassitude irritée. De combien en sommes-nous distants ? Six lieues également ? Va pour six lieues. Aux montures, les valets ! »

Or, aussitôt Bouville et Guccio engagés sur la route d'Orange, deux cavaliers à nouveau les dépassèrent, allant bride abattue ; et cette fois les voyageurs n'eurent plus à douter que c'était bien pour eux qu'on faisait ces chevauchées.

Bouville, soudain saisi d'une humeur guerrière, voulut qu'on courût sus aux deux cavaliers ; mais Guccio s'y opposa fermement.

« Notre train est trop lourd, messire Hugues, pour que nous puissions jamais rattraper ces hommes ; leurs montures sont fraîches, les nôtres sont lasses ; et surtout, je ne veux point laisser le coffre en arrière.

— Il est vrai, reconnut Bouville, que mon bidet est mauvais ; je le sens s'arrondir sous moi et j'aimerais bien en changer. »

Ils ne furent pas autrement étonnés, parvenus à Orange, de constater que les *Monsignori* en étaient absents. Toutefois, Bouville s'emporta quand il s'entendit répondre qu'il fallait plutôt les chercher en Avignon.

« Mais nous sommes passés hier en Avignon, cria-t-il au clerc qui voulait bien les renseigner, et tout y était vide comme ma main ! Et Mgr Duèze ? Où est Mgr Duèze ?

Le clerc répliqua que Mgr Duèze étant évêque d'Avignon, il convenait de le demander à son évêché. La discussion semblait vaine.

Le prévôt d'Orange, par une malheureuse coïncidence, était justement en déplacement ce jour-là, et le commis qui le remplaçait n'avait point d'instructions pour s'occuper du confort des arrivants. Ceux-ci durent passer la nuit dans une auberge fort sale et fort froide, auprès d'un champ de ruines envahi par les herbes et où le vent hurlait. Assis en face d'un Bouville effondré de fatigue, Guccio pensait qu'il allait devoir prendre l'expédition en main si l'on voulait jamais rentrer à Paris, avec ou sans résultat.

Un homme d'escorte, en débâtant, avait eu la jambe cassée d'un coup de pied de mule et il faudrait le laisser là. Deux des montures blessaient au garrot ; d'autres avaient besoin d'être referrées. Messire de Bouville enfin coulait du nez que c'en était pitié. Il montra si peu d'énergie, pendant la journée du lendemain, et fut si désespéré en revoyant les murs d'Avignon, qu'il ne fit guère de difficulté pour permettre à Guccio de se substituer à lui.

« Jamais je n'oserai me présenter devant le roi, gémissait-il. Mais le moyen de faire un pape, je vous le demande, quand tout ce qui porte soutane s'enfuit à notre arrivée ! Jamais plus je ne siégerai au Conseil, jamais plus. En cette seule mission, je démérite de toute ma vie. »

Il s'embarrassait de soucis tatillons. Le portrait de Madame Clémence était-il bien arrimé et n'avait-il pas été gâté par le voyage ?

« Laissez-moi faire, messire Hugues, lui répondit Guccio avec autorité. Et d'abord, il me faut vous loger au chaud ; vous me semblez en avoir grand besoin. »

Guccio s'en fut trouver le capitaine de ville, et il eut si bien le ton qu'aurait dû prendre Bouville depuis le début, fit sonner si haut, dans son fort accent italien, les titres de son chef et ceux qu'il s'octroyait à lui-même, mit tant de naturel dans l'expression de ses exigences, qu'en moins d'une heure on vida une maison pour qu'il la pût occuper. Guccio installa son monde et coucha Bouville dans un lit bien bassiné. Puis, quand le gros homme, qui prenait hypocritement excuse de son refroidissement pour ne plus rien décider, fut enfoui sous les couvertures, Guccio lui dit :

« Cette odeur de traquenard qui flotte tout autour de nous ne me plaît guère, et maintenant j'aimerais assez abriter notre or. Il y a ici un agent des Bardi ; c'est à lui que je vais confier mon dépôt. Après quoi je me sentirai plus à l'aise pour vous rechercher vos damnés cardinaux.

— Mes cardinaux, mes cardinaux ! grommela Bouville. Ce ne sont point mes cardinaux, et je suis plus marri que vous l'êtes des tours qu'ils me jouent. Nous conférerons de cela quand j'aurai dormi un peu, si vous le voulez, car je me sens tout frileux. Etes-vous bien assuré au moins de votre Lombard ? Pouvons-nous avoir confiance en lui ? Cet argent, après tout, est celui du roi de France... »

Guccio le prit d'assez haut.

« Ayez en l'esprit, messire Hugues, que je suis en alarme pour cet argent tout juste, voyez-vous, comme s'il appartenait à quelqu'un de ma famille ! »

Il se rendit alors à la banque dans le quartier de Saint-Agricol. L'agent des Bardi, qui était un cousin du chef de cette puissante compagnie, reçut

Guccio avec la cordialité qu'on doit au neveu d'un grand confrère, et il alla serrer l'or lui-même dans sa chambre forte. On échangea des signatures ; puis le Lombard conduisit dans la grand-salle son visiteur, afin que celui-ci lui fît le récit de ses difficultés.

Un homme mince, légèrement voûté, qui se tenait devant la cheminée, se retourna à leur entrée et s'écria :

« *Guccio Baglioni ! Per Bacco, sei tu ? Che piacere di vederti* * *!*

— *Carissimo Boccacio, che fortuna ! Che faï qua* ** *?* »

Ce sont toujours les mêmes gens qui se rencontrent en chemin, parce que ce sont toujours les mêmes, en fait, qui voyagent. Il n'y avait rien de tellement extraordinaire à ce que le signor Boccace fût là, puisqu'il était voyageur principal pour la compagnie des Bardi.

Mais les amitiés nées au hasard des chemins, entre gens qui se déplacent beaucoup, sont plus rapides, plus enthousiastes et souvent plus solides que celles qui s'établissent entre les sédentaires.

Boccace et Guccio s'étaient connus, un an plus tôt, sur la route de Londres ; Paris les avait à quelques reprises réunis, et ils se regardaient comme s'ils eussent été amis de toujours. Leur joie s'exprima en bonnes invectives toscanes, fort ornées dans la grossièreté. Un auditeur non averti

---

* Guccio Baglioni ! Par Bacchus, c'est toi ! Quel plaisir de te voir !

** Très cher Boccace, quelle chance ! Que fais-tu ici ?

des habitudes florentines n'eût pas compris pourquoi si joyeux compagnons se traitaient mutuellement de bâtards, de chancreux et de sodomites.

Tandis que le Bardi d'Avignon leur versait du vin aux épices, Guccio raconta son expédition, les mésaventures qu'il avait essuyées ces derniers jours en poursuivant les cardinaux, et dépeignit le piteux état du gros messire de Bouville.

Boccace bientôt ne se tint plus de rire.

« *La caccia ai cardinali, la caccia ai cardinali ! Vi hanno preso per il culo, i Monsignori* * ! »

Puis, reprenant son sérieux, il fournit à Guccio quelques explications.

« Ne sois point surpris si les cardinaux se cachent, dit-il. On leur a enseigné la prudence, et tout ce qui vient de la cour de France, ou s'annonce comme tel, leur fait prendre la fuite. L'été dernier, Bertrand de Got et Guillaume de Budos, les neveux du pape défunt, sont arrivés par ici, envoyés par ton bon ami Marigny, soi-disant pour ramener en Bordelais le corps de leur oncle. Ils n'avaient avec eux que cinq cents hommes d'armes, ce qui fait beaucoup de porteurs pour un seul cadavre ! Leur mission était de préparer l'élection d'un cardinal français, et ce ne fut pas la douceur qui leur servit d'argument. Un beau matin les maisons de Leurs Eminences furent toutes saccagées, tandis qu'on assiégeait le couvent de Carpentras où se tenait le conclave ; et les cardinaux, sautant par une brèche du mur, se

---

* La chasse aux cardinaux, la chasse aux cardinaux ! Ils vous ont bien roulés, les Monseigneurs !

sauvèrent dans la campagne pour mettre leur peau à couvert. Sans cette brèche que leur avait ménagée la Providence, leur affaire était mauvaise. Certains ont couru une bonne lieue, la soutane aux genoux. D'autres sont allés se mucher dans des granges. Le souvenir ne leur en est pas encore passé.

— Ajoutez à cela, dit le cousin Bardi, qu'on vient de renforcer la garnison de Villeneuve, et que les cardinaux à tout instant s'attendent à voir les archers passer le pont. On vous a vu aller à Villeneuve, en revenir, cela suffit... Et savez-vous qui sont ces cavaliers qui vous ont à plusieurs reprises dépassés ? Des gens de Marigny l'archevêque, j'en jurerais. Ils grouillent dans les parages, en ce moment. Je n'arrive pas à comprendre au juste le travail qu'ils font, mais certainement pas le vôtre.

— Vous n'obtiendrez rien, Bouville et toi, reprit Boccace, en vous présentant de la part du roi de France, et vous risquez tout au plus quelque soir d'avaler un potage assaisonné de telle façon que vous ne vous réveillerez pas. Il n'est de recommandation pour l'heure auprès des cardinaux... auprès de quelques cardinaux !... que venant du roi de Naples. Vous arrivez de là-bas, m'as-tu dit ?

— Tout droit, répondit Guccio, et nous avons même les bénédictions de la reine Marie de Hongrie pour voir le cardinal Duèze.

— Eh ! que ne le disais-tu ? Nous ne connaissons que lui ! Il est notre client depuis vingt ans. Etrange personne, d'ailleurs, que ce Mgr Duèze. Il semblait fort bien placé, à Carpentras, pour être fait pape.

— Alors, que ne l'a-t-on laissé élire ? Il est Français.

— Il est né français ; mais il a été chancelier de Naples, et c'est pourquoi Marigny n'en veut pas. Je puis te le faire rencontrer quand tu veux, demain si cela te plaît.

— Tu sais donc où le trouver ?

— Il n'a jamais bougé d'ici, dit Boccace en riant. Rentre à ton logis, et je te donnerai nouvelles avant la nuit. Et si vous disposez d'un peu de monnaie, comme tu me le dis, l'entrevue n'en sera que facilitée. Car le bon cardinal est souvent à court et nous doit assez gros. »

Trois heures plus tard, le signor Boccace frappait à la porte de la maison où était installé Bouville. Il apportait de bonnes informations. Le cardinal Duèze irait le lendemain, vers la neuvième heure, faire une promenade de santé, à une lieue au nord d'Avignon, en un endroit nommé le Pontet, à cause d'un petit pont qui se trouvait là. Le cardinal accepterait de rencontrer tout à fait par hasard le seigneur de Bouville si celui-ci venait à passer dans les parages, à condition qu'il ne fût pas accompagné de plus de six hommes. Les escortes devraient rester de part et d'autre d'un grand champ, tandis que Duèze et Bouville s'entretiendraient au milieu, loin de tout regard et de toute oreille. Le cardinal de curie s'entendait à organiser le mystère.

« Guccio, mon enfant, vous me sauvez, et je me souviendrai toujours de vous en savoir gré », dit Bouville dont la santé, avec l'espérance revenue, s'améliorait un peu.

Le lendemain matin donc, Bouville, flanqué de Guccio, du signor Boccace et de quatre écuyers, se rendit au Pontet. L'air était fort brumeux, effa-

çant les contours et les sons, et l'endroit désert à
souhait. Messire de Bouville avait revêtu trois
manteaux. On attendit un long moment.

Enfin, un petit groupe de cavaliers surgit du
brouillard, entourant un jeune homme qui chevauchait une mule blanche et qui descendit les-
tement de sa monture. Il portait une chape sombre sous laquelle se devinaient des vêtements rouges, et avait la tête couverte d'un bonnet fourré
à oreillettes. Il avança d'un pas vif, presque sautillant, dans l'herbe gelée, et l'on vit alors que ce
jeune homme était bien le cardinal Duèze, et que
Son Adolescence avait soixante-dix ans. Seul son
visage, creux de joues, creux de tempes, avec des
sourcils blancs sur une peau sèche, avouait son
âge ; mais ses yeux avaient gardé la vivacité atten-
tive de la jeunesse.

Bouville se mit en marche lui aussi et rejoignit
le cardinal auprès d'une murette. Les deux hommes demeurèrent un instant à s'observer, mutuellement déroutés par leur apparence. Bouville, avec
son respect inné de l'Eglise, s'attendait à voir un
prélat plein de majesté, un peu onctueux, et non
ce farfadet sautant dans le brouillard. Le cardinal
de curie, qui croyait qu'on lui avait dépêché un
capitaine de guerre de l'espèce Nogaret ou Bertrand de Got, considérait ce gros homme couvert
comme un oignon et qui se mouchait avec fracas.

Ce fut le cardinal qui attaqua. Sa voix ne pouvait
que surprendre qui ne l'avait pas encore entendue.
Voilée comme un tambour funèbre, tout à la fois
vive, rapide et étouffée, elle ne semblait pas sortir
de lui, mais de quelqu'un d'autre qui se fût trouvé
dans les parages et qu'on cherchait instinctivement.

« Vous venez donc, messire de Bouville, de la part du roi Robert de Naples, qui me fait l'honneur de sa chrétienne confiance. Le roi de Naples... le roi de Naples, répéta-t-il. C'est fort bien. Mais vous êtes aussi envoyé du roi de France. Vous étiez grand chambellan du roi Philippe, qui ne m'aimait guère... je ne sais trop pourquoi d'ailleurs, car j'avais agi à sa convenance lors du concile de Vienne, pour faire supprimer les Templiers. »

Bouville comprit que l'entretien allait prendre un vrai tour politique, et se sentit, les pieds dans un champ de Provence, comme si on l'interpellait au Conseil étroit. Il bénit sa mémoire de lui fournir un argument de réponse.

« Il me paraît, Monseigneur, que vous vous étiez opposé à ce qu'on décrétât d'hérésie le pape Boniface ; et le roi Philippe ne l'avait pas oublié.

— Messire, en vérité, c'était trop me demander. Les rois ne se rendent point compte de ce qu'ils exigent. Quand on appartient au collège dans lequel se recrutent les papes, on répugne à créer de tels précédents. Un roi, lorsqu'il monte au trône, ne fait point proclamer que son père était traître, adultère et pillard, bien que ce soit souvent le cas. Le pape Boniface est mort fou, nous le savons, en refusant les sacrements et en proférant d'horribles blasphèmes. Mais il avait perdu l'esprit parce qu'on l'avait souffleté sur son trône. Qu'aurait gagné l'Eglise à étaler cette honte ? Quant aux bulles publiées par Boniface avant qu'il fût fou, elles présentaient, pour toute hérésie, de déplaire au roi de France. Or, en telle matière, le jugement appartient au pape plutôt qu'au roi. Et

Clément V, mon vénéré bienfaiteur... vous savez que je lui dois d'être le peu que je suis... le pape Clément était de cet avis. Mgr de Marigny non plus ne m'aime guère ; il a tout fait pour s'opposer à moi, depuis que le trône de saint Pierre est vacant. Alors je ne comprends point ! Pourquoi souhaitez-vous me voir ? Marigny est-il encore aussi puissant en France, ou bien feint-il de l'être encore ? On affirme qu'il ne commande plus, et tout continue pourtant à lui obéir. »

Etrange homme que ce cardinal qui accumulait les ruses pour éviter un ambassadeur, puis pour le rencontrer, et, dès le premier instant, entrait dans le vif des choses comme s'il connaissait de toujours son interlocuteur.

« La vérité, Monseigneur, répondit Bouville qui ne voulait pas engager le débat sur Marigny, la vérité est que je viens vous exprimer le souhait du roi Louis, et celui de Mgr de Valois, d'avoir un pape au plus tôt. »

Les blancs sourcils du cardinal se levèrent.

« Le beau désir quand on m'empêche, par cautèle, par argent ou par force, d'être élu depuis neuf mois ! Non que je m'estime digne d'une si haute mission... mais qui l'est, je vous le demande ?... ni que je sois plus avide qu'un autre d'une tiare dont je sais bien le poids. L'évêché d'Avignon m'occupe suffisamment, et aussi les traités auxquels je consacre toutes mes ressources de temps. J'ai entrepris un *Thesaurus pauperum*, un *Art transmutatoire* sur les recettes d'alchimie, et aussi un *Elixir des Philosophes* qui sont fort avancés et que je voudrais bien voir achevés avant que de mourir... A-t-on changé de décision à Paris en ce qui me regarde ? Est-ce moi maintenant que l'on souhaite pour pape ? »

Bouville constata en cet instant que les instructions de Mgr de Valois étaient, comme toujours, aussi impératives que vagues. On lui avait dit : « Un pape. »

« Mais certes, Monseigneur, répondit-il mollement. Pourquoi pas vous ?

— Alors, c'est qu'on a quelque grave chose à me demander... je veux dire : à obtenir de qui sera élu. Quel service attend-on ?

— Il se trouve, Monseigneur, que le roi est en besoin de faire annuler son mariage...

— ... pour pouvoir se remarier avec Mme Clémence de Hongrie ? dit le cardinal.

— Vous savez donc le projet ?

— N'avez-vous pas séjourné trois grandes semaines à Naples, et n'apportez-vous pas un portrait de Madame Clémence ?

— Je vous vois bien renseigné, Monseigneur. »

Le cardinal ne répondit pas et se mit à observer le ciel comme s'il y regardait passer des anges.

« Annuler..., dit-il de sa voix feutrée qui se dissolvait dans le brouillard. Certes, on peut toujours annuler. Les portes de l'église étaient-elles bien ouvertes le jour du mariage ? Vous y assistiez... et vous ne vous souvenez pas. Il se peut que d'autres se rappellent qu'elles aient été par mégarde fermées... Votre roi est cousin bien proche de son épouse ! On a peut-être omis de demander la dispense. On pourrait démarier à peu près tous les princes d'Europe pour ce motif ; ils sont cousins de tous les côtés, et il n'est que de voir les produits de leurs unions pour s'en rendre compte.

Celui-ci boite, cet autre est sourd, tel encore s'évertue sans succès à l'œuvre de chair. S'il ne se glissait de temps à autre parmi eux quelque péché ou quelque mésalliance, on les verrait bientôt s'éteindre de scrofule et de langueur.

— La famille de France, répondit Bouville blessé, se porte fort bien, et nos princes du sang sont robustes comme des charrons.

— Oui, oui... mais quand la maladie ne les prend pas au corps, elle les prend à la tête. Et puis les enfants y meurent beaucoup en bas âge... Non, vraiment, je ne suis point pressé d'être pape.

— Mais si vous le deveniez, Monseigneur, dit Bouville, tâchant à reprendre le fil, l'annulation vous semblerait-elle chose possible... avant l'été ?

— Annuler est moins difficile, dit amèrement Jacques Duèze, que de retrouver les voix qu'on m'a fait perdre. »

L'entretien tournait en rond. Bouville, apercevant ses hommes, qui battaient la semelle au bout du champ, regrettait de ne pouvoir appeler Guccio, ou bien ce signor Boccace qui semblait si habile. La brume était moins dense et laissait deviner, très pâle, la présence du soleil. Un jour sans vent. Bouville appréciait ce répit ; mais il était las de se tenir debout et ses trois manteaux commençaient à lui peser. Il s'assit machinalement sur la murette, faite de pierres plates superposées, et demanda :

« Enfin, Monseigneur, à quel point en est le conclave ?

— Le conclave ? Mais il n'y en a point. Le cardinal d'Albano...

— Vous voulez parler de messire Arnaud d'Auch, qui vint à Paris l'an dernier...

— ... en tant que légat, pour condamner le grand-maître du Temple. C'est cela même. Etant cardinal camerlingue, c'est à lui de nous réunir ; or, il s'arrange pour n'en rien faire depuis que messire de Marigny, dont il passe pour être la créature, le lui a interdit.

— Mais si, à la parfin... »

A ce moment, Bouville se rendit compte qu'il était assis, alors que le prélat demeurait debout, et il se releva brusquement en s'excusant.

« Non, non, messire, je vous prie... », dit Duèze en le forçant à se rasseoir.

Et il vint lui-même, d'un geste léger, se poser sur la murette.

« Si le conclave était enfin réuni, reprit Bouville, à quoi arriverait-on ?

— A rien. Ceci est fort simple à comprendre. »

Fort simple, assurément, pour le cardinal qui, comme tout candidat à une élection, reprenait chaque jour le compte des suffrages éventuels ; moins simple pour Bouville qui eut quelque mal à entendre la suite, toujours débitée de la même voix de confessionnal.

« Le pape doit être élu aux deux tiers des votants. Nous sommes vingt-trois : quinze Français et huit Italiens. De ces huit, cinq sont pour le cardinal Caëtani, neveu de Boniface... irréductibles. Nous ne les aurons jamais pour nous. Ils veulent venger Boniface, haïssent la couronne de France et tous ceux qui, directement ou à travers le pape Clément, mon vénéré bienfaiteur, l'ont pu servir.

— Et les trois autres ?

— ... haïssent Caëtani ; il s'agit des deux Colonna et de l'Orsini. Rivalités ancestrales. Aucun de ces trois n'ayant lieu d'espérer pour soi, ils me sont favorables dans la mesure où je fais obstacle à Francesco Caëtani ; à moins que... à moins qu'on ne leur promette de ramener le Saint-Siège à Rome, ce qui pourrait remettre un instant tous les Italiens d'accord, quitte ensuite à les faire s'assassiner entre eux.

— Et les quinze Français ?

— Ah ! si les Français votaient ensemble, vous auriez un pape depuis beau temps ! Au début, six m'étaient acquis, vers lesquels le roi de Naples, par mon entremise, s'était montré généreux.

— Six Français, compta Bouville, et trois Italiens, cela nous fait neuf.

— Eh oui, messire... Cela fait neuf, et il nous faut seize voix pour avoir le compte. Notez que les neuf autres Français ne sont pas assez nombreux non plus pour avoir tel pape que voudrait Marigny.

— Il s'agit donc de vous gagner sept voix. Pensez-vous que certaines puissent être obtenues par argent ? J'ai moyen de vous laisser quelques fonds. Combien comptez-vous par cardinal ? »

Bouville crut avoir amené la chose fort habilement. A sa surprise, Duèze ne parut pas bondir sur la proposition.

« Je ne crois pas, répondit-il, que les cardinaux français qui nous manquent soient sensibles à l'argument. Ce n'est point que l'honnêteté soit chez tous la majeure vertu, ni qu'ils vivent dans l'austérité ; mais la peur que leur inspire messire de

Marigny l'emporte pour le moment sur l'attrait des biens de ce monde. Les Italiens sont plus âpres, mais la haine leur tient lieu de conscience.

— Ainsi, dit Bouville, tout repose donc sur Marigny et sur le pouvoir qu'il a auprès de neuf cardinaux français ?

— Tout dépend de cela, messire, aujourd'hui... Demain, cela peut dépendre d'autre chose. Combien d'or pouvez-vous me remettre ? »

Bouville écarquilla les yeux.

« Mais vous venez de me dire, Monseigneur, que cet or ne pouvait vous servir de rien !

— C'est mal m'avoir compris, messire. Cet or ne peut point m'aider à conquérir de nouveaux partisans, mais il me serait fort nécessaire pour garder ceux que j'ai et auxquels, tant que je ne suis point élu, je ne puis donner de bénéfices. La belle affaire si, quand vous m'aurez trouvé les voix qui me manquent, j'avais perdu entre-temps celles qui me soutiennent !

— De quelle somme souhaitez-vous disposer ?

— Si le roi de France est assez riche que de me fournir six mille livres, je me charge de les bien employer. »

À ce moment, Bouville eut à nouveau besoin de se moucher. L'autre prit cela pour une finesse et craignit d'avoir avancé un chiffre trop élevé. Ce fut le seul point que marqua Bouville dans tout l'entretien.

« Même avec cinq mille, chuchota Duèze, je serai en mesure de faire face... pour un temps. »

Il savait déjà que cet or pour la plus grande part ne quitterait point sa bourse, ou plutôt servirait à étouffer ses dettes.

« La somme, dit Bouville, vous sera remise par les Bardi.

— Qu'ils la gardent en dépôt, répondit le cardinal ; j'ai un compte chez eux. J'y puiserai selon les besoins. »

Après quoi, il se montra soudain pressé de remonter sur sa mule, assura Bouville qu'il ne manquerait point de prier pour lui et qu'il aurait plaisir à le revoir. Il tendit au gros homme son anneau à baiser, et puis s'en repartit, sautillant dans l'herbe, comme il était venu.

« Le curieux pape que nous aurons là, qui s'occupe d'alchimie autant que d'Eglise, pensait Bouville en le regardant s'éloigner ; était-il bien fait pour l'état qu'il a choisi ? »

Bouville, au demeurant, n'était pas trop mécontent de soi. On l'avait chargé de voir les cardinaux ? Il était arrivé à en approcher un... De trouver un pape ? Ce Duèze paraissait ne pas demander mieux que de l'être... De distribuer de l'or ? C'était chose faite.

Quand Bouville eut rejoint Guccio et lui eut rapporté d'un air satisfait les résultats de son entrevue, le neveu de Tolomei s'écria :

« Ainsi, messire Hugues, vous êtes donc parvenu à acheter fort cher le seul cardinal qui fût déjà pour nous ! »

Et l'or que les Bardi de Naples avaient, par Tolomei, prêté au roi de France, retourna aux Bardi d'Avignon pour les rembourser de ce qu'ils avaient prêté au candidat du roi de Naples.

VII

UN QUITUS
EN ÉCHANGE D'UN PONTIFE

La jambe maigre, la tournure héronière, le menton penché, Philippe de Poitiers se tenait devant Louis Hutin.

« Sire mon frère, disait-il d'une voix tranchante et froide qui n'était pas sans rappeler celle de Philippe le Bel, je vous ai remis les conclusions de notre examen. Vous ne pouvez pas me demander de nier le vrai quand il éclate. »

La commission nommée pour vérifier les comptes d'Enguerrand de Marigny venait d'achever la veille ses travaux.

Pendant plusieurs semaines, Philippe de Poitiers, les comtes de Valois, d'Evreux, et de Saint-Pol, le grand chambrier Louis de Bourbon, l'archevêque Jean de Marigny, le chanoine Etienne de Mornay, et le chambellan Mathieu de Trye, réunis sous la présidence sourcilleuse du comte de Poi-

tiers, avaient étudié ligne par ligne le journal du
Trésor, sur une période de seize ans ; ils avaient
exigé des explications et s'étaient fait produire
justifications et pièces d'archives, sans omettre
aucun chapitre. Or, cette enquête sévère effectuée
dans un climat de rivalité et souvent de haine,
puisque la commission se partageait à peu près
également entre adversaires et partisans de Marigny, ne faisait rien apparaître qui pût être retenu
contre ce dernier. Son administration des biens de
la couronne et des deniers publics se révélait
exacte et scrupuleuse. S'il était riche, il le devait
aux libéralités du feu roi, et à sa propre habileté
financière. Mais rien ne permettait d'avancer qu'il
eût jamais confondu ses intérêts privés et ceux
de l'Etat, et encore moins qu'il eût volé le Trésor.
Valois, en proie à une déception furieuse de joueur
qui a mal misé, s'était obstiné jusqu'au bout à
nier l'évidence ; et seul son chancelier Mornay
l'avait à contrecœur soutenu dans une insoute-
nable position.

Louis X se trouvait donc en possession des conclusions de la commission, prononcées à six voix
contre deux, et pourtant il hésitait à les approuver ; cette hésitation blessait vivement son frère.

« Les comptes de Marigny sont purs ; je vous
en produis la preuve, reprit Philippe de Poitiers.
Si vous souhaitiez un autre rapport que celui de
la vérité, alors il vous fallait désigner un autre
rapporteur que moi.

— Les comptes... les comptes..., répliqua Louis X.
Chacun sait bien qu'on leur fait dire ce que l'on
veut. Et chacun sait aussi que vous êtes favorable
à Marigny. »

Poitiers considéra son frère avec un mépris calme.

« Je ne suis ici favorable à rien, Louis, sinon au royaume et à la justice ; c'est pourquoi je vous présente à signer le quitus qu'il convient de donner à Marigny. »

Toutes les oppositions de tempérament qui avaient existé entre Philippe le Bel et Charles de Valois réapparaissaient entre Louis X et Philippe de Poitiers. Mais les rôles, cette fois, étaient inversés. Naguère, le frère régnant possédait vraiment toutes les qualités d'un roi, et Valois auprès de lui jouait les brouillons. A présent c'était le brouillon qui régnait, et son cadet qui montrait des aptitudes de souverain. Pendant vingt-neuf ans, Valois avait pensé : « Ah ! si seulement j'étais né le premier ! » Et maintenant Poitiers commençait à se dire, mais avec plus de justesse : « Je tiendrais certainement mieux la place où la naissance a mis mon frère. »

« Et puis, les comptes ne sont pas tout. D'autres choses ne me plaisent guère, dit Louis. Ainsi cette lettre que j'ai reçue du roi d'Angleterre, me recommandant de reporter sur Marigny la confiance que notre père avait en lui, et vantant les services qu'il avait rendus aux deux royaumes... Je n'aime point qu'on me dicte mes actes.

— Est-ce parce que notre beau-frère vous donne un sage conseil qu'il vous faut aussitôt refuser de le suivre ? »

Louis X détourna le regard et s'agita un peu sur son siège. Il répondait à côté des questions et visiblement voulait gagner du temps.

« J'attendrai pour me prononcer d'avoir entendu Bouville, dont le retour m'est annoncé tout à l'heure, dit-il.

— Qu'a donc Bouville à voir dans votre décision ?

— Je veux avoir les nouvelles de Naples, et celles du conclave, répondit le Hutin avec énervement. Je ne souhaite point aller contre notre oncle Charles au moment qu'il me trouve une épouse et qu'il me fait un pape.

— Ainsi vous êtes prêt à sacrifier aux humeurs de notre oncle un ministre intègre, et à éloigner du pouvoir le seul homme qui sache, en ce jour, conduire les affaires. Prenez garde, mon frère ; vous ne pourrez point maintenir demi-mesure. Vous avez bien vu que, tandis que nous étions à éplucher les comptes de Marigny comme ceux d'un mauvais serviteur, tout continuait en France à lui obéir ainsi que par le passé. Il vous faudra, ou bien le restaurer en toute sa puissance, ou bien l'abattre complètement en le tenant coupable de crimes inventés et en le châtiant d'avoir été fidèle. Choisissez. Marigny peut mettre une année encore avant de vous donner un pape ; mais il vous en donnera un conforme aux intérêts du royaume. Notre oncle Charles, lui, va vous promettre un Saint-Père pour chaque lendemain ; il n'ira sans doute pas plus vite, mais il vous sortira quelque Caëtani qui voudra repartir pour Rome, et de là-bas nommer vos évêques et tout régenter chez vous. »

Il prit le quitus qu'il avait préparé, et l'approcha de ses yeux, car il était fort myope, pour le relire une dernière fois.

« ... *ainsi approuve, loue et reçois les comptes du sire Enguerrand de Marigny et le tiens quitte, lui et ses hoirs, de toutes les recettes faites par l'Administration du Trésor du Temple, du Louvre et de la Chambre du Roi.* »

Il ne manquait au parchemin que le paraphe royal et l'apposition du sceau.

« Mon frère, reprit Poitiers, vous m'avez assuré que je serais fait pair à la fin du deuil, et que je devais déjà me regarder comme tel. En tant que pair du royaume je vous donne conseil de signer. C'est accomplir un acte dicté par la justice.

— La justice n'appartient qu'au roi ! s'écria le Hutin avec la soudaine violence qu'il montrait lorsqu'il se sentait en mauvais cas.

— Non, Sire, répliqua calmement Philippe ; non, Sire ; c'est le roi qui appartient à la justice, pour en être l'expression et la faire triompher. »

Le même jour et vers la même heure, Bouville et Guccio atteignaient Paris. La capitale commençait à s'engourdir dans le froid et l'ombre tôt venue des soirées d'hiver.

Mathieu de Trye attendait les voyageurs à la porte Saint-Jacques. Il était chargé de saluer Bouville au nom du roi, et de le conduire aussitôt auprès de ce dernier.

« Eh quoi ? sans le moindre repos ? dit Bouville. Je suis aussi rompu que sale, mon bon ami, et je ne tiens debout que par miracle. Je n'ai plus l'âge de telles équipées. Ne pouvait-on m'accorder de faire toilette et de dormir un brin ? »

Il était mécontent de la hâte qu'on lui imposait. Il avait imaginé qu'il souperait avec Guccio une dernière fois, dans le cabinet privé de quelque bonne auberge, et qu'ils se diraient alors toutes ces choses qu'on n'a pas trouvé le moyen de se confier, en soixante jours de voyage, et qu'on éprouve le besoin de formuler, l'ultime soir, comme si l'occasion ne s'en devait plus représenter.

Au lieu de cela, ils furent forcés de se séparer en pleine rue, et sans même grande effusion d'amitié, car la présence de Mathieu de Trye les gênait. Bouville avait le cœur gros ; il ressentait la mélancolie des choses qui s'achèvent ; et, regardant Guccio s'en aller, il voyait s'éloigner les beaux jours de Naples, ce miraculeux moment de jeunesse dont le sort venait de gratifier son automne. Maintenant, le regain était fauché et ne repousserait plus.

« Je n'ai point dit assez merci à ce gentil compagnon pour tout le service qu'il m'a rendu et pour l'agrément que j'ai eu de son escorte », pensait Bouville.

Il ne remarqua même pas, tant la chose allait de soi, que Guccio emportait le coffre contenant le restant de l'or des Bardi ; petite somme au demeurant, après tous les frais de l'expédition et l'obole au cardinal, mais qui permettrait au moins à la compagnie Tolomei de percevoir sa commission.

Cela n'empêchait point Guccio d'avoir lui aussi de l'émotion à quitter le gros Bouville ; chez les

gens bien doués pour les affaires, le sens de
l'intérêt n'entrave nullement le jeu des sentiments.

Bouville, pénétrant au Palais, y nota certains
détails qui ne lui plurent pas. Les serviteurs
semblaient avoir perdu l'exactitude appliquée qu'il
avait su leur imposer, du temps du roi Philippe,
et cet air de déférence et de cérémonie, qui
prouvait, en leurs moindres gestes, qu'ils appartenaient à la maison royale. Le relâchement était
visible.

Toutefois, quand l'ancien grand chambellan se
trouva en présence de Louis X, il perdit toute
idée critique ; il était devant le roi et ne songeait
plus à rien d'autre qu'à s'incliner assez bas.

« Alors, Bouville, demanda le Hutin après avoir
accordé à son ambassadeur une brève accolade,
alors, comment est Madame de Hongrie ?

— Redoutable, Sire ; elle n'a cessé de me faire
trembler. Mais elle est bien étonnante d'esprit,
pour son âge.

— Son apparence, sa figure ?

— Fort majestueuse encore, Sire, bien que les
dents lui manquent tout à fait. »

Louis X eut un recul inquiet ; et Charles de Valois, qui assistait à l'audience, éclata de rire.

« Mais non, Bouville, dit-il ; le roi ne vous inter-
roge point sur la reine Marie, mais sur Madame Clémence.

— Oh ! pardon, Sire ! répondit Bouville en rougissant. Madame Clémence ? Mais je vais vous la
montrer. »

Et il fit apporter le tableau d'Oderisi qu'on
sortit de sa caisse et qu'on posa sur une crédence.

Les volets qui protégeaient le portrait furent ouverts ; on approcha des chandelles.

Louis s'avança prudemment, comme s'il craignait la confrontation ; puis il eut un sourire à l'adresse de son oncle.

« Le beau pays que c'est là-bas, Sire, si vous saviez ! s'écria Bouville en revoyant Naples sur les deux volets du tableau. Le soleil y luit toute l'année ronde ; les gens y sont gais, et partout on entend chanter...

— Alors, mon neveu, vous avais-je trompé ? dit Valois. Admirez ce teint, ces cheveux comme du miel, cette belle pose de noblesse ! Et la gorge, mon neveu, quelle belle gorge de femme ! »

Lui-même, qui n'avait pas vu la jeune princesse depuis une dizaine d'années, se sentait rassuré et plein de contentement de soi.

« Et dois-je dire au roi, ajouta Bouville, que Madame Clémence est encore plus avenante à contempler au naturel... »

Louis se taisait ; il semblait qu'il eût oublié leur présence. Le front en avant, l'échine un peu voûtée, il était absorbé dans un étrange tête-à-tête avec le tableau. Il faisait plus que l'examiner ; il l'interrogeait, et s'interrogeait. Dans les yeux bleus de Clémence de Hongrie, il retrouvait quelque chose du regard d'Eudeline, une sorte de patience rêveuse, de bonté apaisante. Et le sourire, les couleurs mêmes n'étaient pas sans suggérer certains rapports de ressemblance avec la belle lingère du palais... Une Eudeline, mais qui fût née de rois, et pour être reine.

Pendant un instant, Louis chercha à superposer au portrait, par souvenir, le visage de Mar-

guerite de Bourgogne, son front rond et bombé,
ses cheveux noirs qui frisaient, sa peau de brune,
ses yeux facilement hostiles... Et puis ce visage
s'effaça ; celui de Clémence reparut, triomphant
dans sa beauté calme. Et Louis acquit la convic-
tion qu'auprès de cette blonde princesse son corps
n'aurait pas à redouter de défaillance.

« Ah ! Elle est belle, elle est vraiment belle !
dit-il enfin. Mon oncle, c'est bonne idée que vous
avez eue, et aussi de commander cette image.
Je vous en sais gré, hautement. Et vous, messire
de Bouville, je vous donnerai deux cents livres
de revenus sur le Trésor... le jour des noces.

— Oh ! Sire, murmura Bouville avec reconnaissance, l'honneur de vous servir me récompense
bien assez. »

Le roi marchait, tout agité.

« Ainsi nous sommes fiancés, reprit-il. Nous
sommes fiancés... Il ne me reste plus qu'à être
démarié.

— Oui, Sire, et il faut que cela soit fait avant
l'été. C'est la condition pour que vous puissiez
convoler avec Madame Clémence.

— J'espère bien que je n'aurai pas si longtemps
à attendre. Mais qui a posé cette condition ?

— La reine Marie, Sire..., reprit Bouville. Elle
a d'autres partis pour sa petite-fille, et, encore
que vous soyez certes le plus glorieux à ses yeux
et le plus souhaité, elle n'entend pas s'engager au-
delà. »

Louis X alors se tourna d'un mouvement inter-
rogateur vers Valois, qui lui-même prit une mine
étonnée.

Pendant l'absence de Bouville, Valois, qui, en

contact épistolaire avec Naples, se donnait les
gants de tout arranger, avait certifié à son neveu que l'engagement était bien en train de se
conclure, définitif et sans clause de délai.

« Madame de Hongrie vous a donc exprimé cette
condition en dernier instant ? dit-il à Bouville.

— Non, Monseigneur ; elle en a parlé plusieurs
fois ; et elle y est revenue au dernier instant.

— Bah ! Ce n'est qu'un mot pour nous hâter
un peu, et se faire valoir. Si par aventure, tout
à fait improbable d'ailleurs, l'annulation tardait
davantage, Madame de Hongrie prendrait patience.

— Je ne sais, Monseigneur ; la chose était dite
de manière bien sérieuse et bien ferme. »

Valois ne se sentait pas fort à l'aise, et tapotait
du bout des doigts le bras de son siège.

« Avant l'été, murmurait Louis ; avant l'été...
Et en quel point avez-vous trouvé le conclave ? »

Bouville fit alors le récit de son expédition en
Avignon, sans trop insister sur ses mésaventures
personnelles ; il rapporta les informations recueil-
lies par Guccio, raconta son entrevue avec le
cardinal Duèze, et insista sur le fait que l'élection
d'un pape dépendait avant tout de Marigny.

Louis X écoutait avec une grande attention, tout
en portant fréquemment les yeux vers le portrait
de Clémence de Hongrie.

« Duèze... oui, disait-il. Pourquoi pas Duèze ?...
Il est prêt à prononcer l'annulation... Il lui manque sept voix françaises... Ainsi vous m'assurez,
Bouville, que seul Marigny peut venir à bout de
cette affaire ?

— C'est mon sentiment absolu, Sire. »

Le Hutin se déplaça lentement vers la table où

était posé le quitus préparé par Philippe de Poitiers. Il prit une plume d'oie, la trempa dans l'encre.

Charles de Valois pâlit.

« Mon neveu, s'écria-t-il en s'élançant, vous n'allez pas donner décharge à ce coquin ?

— D'autres que vous, mon oncle, affirment que ses comptes sont francs. Six des barons désignés pour faire l'examen sont de cet avis ; il n'est que votre chancelier pour partager le vôtre.

— Mon neveu, je vous supplie d'attendre... Cet homme vous trompe comme il a trompé votre père ! » cria Valois.

Bouville aurait voulu être hors de la pièce.

Louis X fixait sur son oncle un regard buté, méchant.

« Je vous avais dit qu'il me fallait un pape, prononça-t-il.

— Mais Marigny est opposé à Duèze !

— Eh bien ! qu'il en choisisse un autre ! »

Pour couper à toute nouvelle objection, il ajouta, hors de propos, mais avec une grande autorité de ton :

« Rappelez-vous que le roi appartient à la justice... afin de la faire triompher. »

Et il signa le quitus.

Valois prit congé sans cacher son dépit. Il étouffait de rage. « J'aurais mieux fait, pensait-il, de lui trouver une fille torse et mal avenante de visage. Il se montrerait moins pressé. J'ai été joué, et Marigny va revenir en cour grâce aux outils que j'avais forgés pour l'en chasser. »

VIII

LA LETTRE DU DÉSESPOIR

Une rafale de vent gifla l'étroit vitrage, et Marguerite de Bourgogne se rejeta en arrière, comme si quelqu'un du fond du ciel cherchait à la frapper.

Le jour commençait à se lever, incertain, sur la campagne normande. C'était l'heure où la première garde montait aux créneaux de Château-Gaillard. La tempête d'ouest chassait d'énormes nuages portant en leurs flancs sombres des montagnes d'eau ; et les peupliers, le long de la Seine, ployaient leur échine défeuillée.

Le sergent Lalaine déverrouilla les portes qui, dans l'escalier à vis, isolaient les deux princesses ; l'archer Gros-Guillaume déposa dans la chambre de Marguerite deux écuelles de bois emplies de bouillie fumante ; puis il sortit sans avoir rien dit, en traînant les pieds.

« Blanche... », appela Marguerite en s'approchant du palier.

Elle n'obtint pas de réponse.

« Blanche ! » répéta-t-elle plus fort.

Le silence qui suivit l'emplit d'angoisse. Enfin elle entendit un lent claquement de socques de bois sur les marches. Blanche entra, vacillante, défaite ; ses yeux clairs, dans la lueur grise qui emplissait la pièce, avaient une inquiétante expression d'absence tout à la fois et d'obstination.

« As-tu dormi un peu ? » lui demanda Marguerite.

Blanche alla sans rien dire jusqu'à la cruche d'eau posée sur un escabeau, s'agenouilla et, inclinant la cruche vers sa bouche, y but à longs traits. Elle adoptait ainsi depuis quelque temps des poses bizarres pour accomplir les gestes ordinaires de la vie.

Il ne restait plus rien dans la pièce des meubles de Bersumée. Le capitaine de forteresse les avait récupérés trois mois plus tôt, immédiatement après la visite assez brutale que lui avait rendue Alain de Pareilles pour lui rappeler les instructions de Marigny. Partis, les coffres et les chaises apportés en l'honneur de Mgr d'Artois ; partie, la table où la reine prisonnière avait dîné en face de son cousin. Quelques éléments du grossier mobilier fourni à la troupe garnissaient maigrement la geôle ronde. Le lit était pourvu d'un matelas bourré de cosses de pois séchées. En revanche, Pareilles ayant dit que la santé de Madame Marguerite importait à Marigny, Bersumée veillait depuis lors à ce que les couvertures fussent assez nombreuses. Mais les draps n'avaient pas été changés une seule fois, et l'on n'allumait de feu que lorsqu'il gelait.

Les deux femmes s'assirent côte à côte au bord du lit, les écuelles posées sur leurs genoux.

Blanche commença de laper la bouillie de sarrasin à même l'écuelle, sans se servir de la cuiller. Marguerite ne mangeait pas. Elle se chauffait les doigts autour du bol de bois ; c'était là l'une des seules bonnes minutes de sa journée, et la dernière joie sensuelle qui lui restât. Elle fermait les yeux, toute concentrée sur le misérable plaisir de recueillir un peu de chaleur au creux de ses mains.

Soudain, Blanche se leva et jeta son écuelle à travers la pièce. La bouillie se répandit sur le sol, où elle surirait pendant une semaine.

« Qu'as-tu donc ? demanda Marguerite.

— Je veux mourir, je veux me tuer ! hurla Blanche. Je m'en vais me bouter du haut de l'escalier... Et tu resteras seule... seule ! »

Marguerite soupira et plongea sa cuiller dans le bol.

« Jamais nous ne sortirons d'ici, à cause de toi, reprit Blanche, parce que tu n'as pas voulu écrire la lettre que te demandait Robert. C'est ta faute, tout est ta faute. Ce n'est pas vivre que de rester ici. Mais je vais mourir. Et tu resteras seule. »

L'espérance déçue est funeste aux prisonniers. Blanche avait cru, en apprenant la mort de Philippe le Bel, et surtout en voyant arriver Robert d'Artois, qu'elle allait être libérée. Et puis rien ne s'était produit, sinon le retrait quasi total des adoucissements que le passage de leur cousin avait obtenus quelques jours aux recluses. Depuis ce temps, Blanche semblait une autre personne. Elle avait cessé de se laver ; elle maigrissait ; elle passait de soudaines fureurs à de soudains accès de larmes qui laissaient de longs traits gris sur ses joues souillées. Ses cheveux un peu plus longs sortaient, collés, emmêlés, de son béguin de toile. Elle était pleine de reproches et de griefs envers Marguerite, et les ressassait inlassablement ; elle tenait Marguerite pour responsable, l'accusait de l'avoir poussée dans les bras de Gautier d'Aunay, l'insultait puis exigeait en trépignant qu'elle écrivît à Paris pour accepter la proposition qu'on lui avait faite. Et la haine s'installait entre ces deux femmes qui n'avaient chacune que l'autre pour compagnie et pour soutien.

« Eh bien, crève donc, puisque tu n'as plus le cœur de lutter ! répondit Marguerite.

— Pourquoi lutter ? Lutter contre les murs... Pour que tu sois reine ? Parce que tu espères encore que tu seras reine ? La reine ! La reine ! Voyez la reine !

— Mais si j'avais cédé, c'est moi qu'on aurait libérée, peut-être, mais pas toi.

— Seule, seule, tu vas rester seule ! répétait Blanche.

— Tant mieux ! Je ne désire que cela, être seule ! » répondit Marguerite.

Chez elle aussi, les récentes semaines avaient causé plus de ravages que toute la première demi-année de réclusion. Son visage était amaigri, durci, marqué de dartres. Les jours s'égrenant sans rien apporter, la même question, continuellement, lui tourmentait l'esprit. N'avait-elle pas eu tort de refuser la proposition ?

Blanche s'élança vers l'escalier. Marguerite pensa : « Qu'elle aille se fracasser ! Que je ne l'entende plus gémir et hurler ! Elle ne se tuera pas, mais au moins on l'emmènera, on l'éloignera. » Et elle courut derrière sa belle-sœur, les mains en avant, comme pour la pousser vers les profondeurs de la vis.

Blanche se retourna. Un instant, elles s'affrontèrent du regard. Soudain Marguerite s'appuya, s'affaissa presque, contre le mur.

« Nous devenons folles toutes les deux..., dit-elle. Allons, je pense qu'il faut l'écrire, cette lettre. Moi aussi je suis à bout. »

Et se penchant, elle cria :

« Gardes ! Gardes ! Qu'on appelle le chapelain. »

Rien ne lui répondit que le vent d'hiver qui décrochait les tuiles dans les toitures.

« Tu vois..., dit Marguerite en haussant les épaules. Je le ferai demander quand on nous portera notre dîner. »

Mais Blanche dévala les marches et se mit à tambouriner sur la porte, au bas de l'escalier, en hurlant qu'elle voulait voir le capitaine. Les archers de garde s'interrompirent de jouer aux dés dans la salle du rez-de-chaussée, et l'on entendit l'un d'eux sortir.

Bersumée arriva un moment après, son bonnet de peau de loup enfoncé jusqu'aux sourcils. Il écouta la demande de Marguerite.

Le chapelain ? Il se trouvait absent ce jour-là. Des plumes, un parchemin ? Pour quoi faire ? Les prisonnières n'avaient le droit de communiquer avec quiconque, ni par voix, ni par écrit ; tels étaient les ordres de Mgr de Marigny.

« Je dois écrire au roi », dit Marguerite.

Au roi ? Ah ! certes, cela posait une question à Bersumée. Le terme de « quiconque » désignait-il aussi le roi ?

Marguerite parla si haut et s'emporta si bien que le capitaine se laissa fléchir.

« Allez, ne différez point », s'écria-t-elle.

Bersumée se rendit à la sacristie, et rapporta lui-même le matériel pour écrire.

Au moment de commencer sa lettre, Marguerite eut une dernière révolte, un dernier mouvement de refus. Jamais plus, si par quelque miracle son procès venait à se rouvrir, jamais plus elle ne pourrait plaider l'innocence et prétendre que les frères d'Aunay avaient fait de faux aveux sous la torture. Et elle ôtait à sa fille tout droit à la couronne...

« Va, va ! lui soufflait Blanche.

— Rien en vérité, ne peut être pire que ce qui est », murmura Marguerite.

Et elle rédigea son renoncement.

« ...Je reconnais et confesse que ma fille Jeanne n'est point enfant de vous. Je reconnais et confesse m'être à vous refusée de corps, en sorte que l'œuvre de chair ne fut pas accomplie entre nous... Je reconnais et confesse que je n'ai point droit de me regarder pour mariée à vous... J'attends, comme il m'a été promis de votre part par messire d'Artois, si je faisais l'aveu sincère de mes fautes, que vous preniez en pitié ma peine et ma repentance, et me remettiez en un couvent de Bourgogne... »

Bersumée se tint auprès d'elle, soupçonneux, tout le temps qu'elle écrivit ; puis il prit la lettre et l'étudia un moment, ce qui n'était que simulacre car il ne savait pas très bien lire.

« Ceci doit parvenir au plus vite à Mgr d'Artois, dit Marguerite.

— Ah ! Madame, voilà qui change tout. Vous aviez assuré que c'était pour le roi...

— ...à Mgr d'Artois pour qu'il le remette au roi ! cria Marguerite. C'est écrit en tête ! Etes-vous si sot que de ne pas le voir ?

— Ah ! oui... Et qui portera cette lettre ?

— Vous-même !

— Je n'ai pas d'ordres. »

Il ne put de toute la journée décider de ce qu'il devait faire et attendit que le chapelain fût rentré pour lui demander avis.

La lettre n'étant pas cachetée, le chapelain en prit connaissance.

« Je reconnais et confesse... je reconnais et confesse... Ou bien elle ment quand elle se confesse à moi, ou bien elle ment quand elle écrit », dit-il en grattant son crâne beige.

Il était un peu soûl et fleurait le cidre. Néanmoins, il se rappelait que Mgr d'Artois l'avait fait attendre trois heures dans le gel, pour prendre une lettre de Madame Marguerite, et s'en était reparti sans lettre, en lui lançant des insultes au nez... Il persuada à Bersumée de déboucher une bouteille, et, après d'abondants commentaires, conseilla d'acheminer le pli, voyant poindre là quelques espoirs personnels.

Bersumée inclinait dans le même sens, et pour des motifs qui lui étaient également propres. On disait beaucoup, aux Andelys, que Marigny était tombé en disgrâce, et même on prétendait que le roi lui intentait procès. Une chose était certaine : si Marigny continuait d'envoyer des instructions, il n'envoyait plus d'argent. Bersumée avait perçu brusquement ses arriérés de solde, trois mois plus tôt, mais rien depuis ; et l'heure approchait où il n'aurait plus le nécessaire pour nourrir et ses hommes et ses prisonnières. L'occasion n'était pas mauvaise d'aller s'informer sur place de quoi il retournait.

« A ta place, capitaine, disait le chapelain, je ferais remettre la lettre au grand inquisiteur, qui est aussi le confesseur du roi. Elle a écrit : « Je confesse. » C'est une affaire d'Eglise et une affaire royale... Si cela t'oblige, je veux bien m'en charger. Je connais le frère inquisiteur ; il est de mon couvent de Poissy...

— Non, j'irai moi-même, répondit Bersumée.

— Alors, ne manque pas de parler de moi, si tu vois le frère inquisiteur. »

Le lendemain, ayant passé les consignes au sergent Lalaine, Bersumée, coiffé de son chapeau de fer et monté sur son meilleur bidet, prit la route de Paris.

Il arriva le jour suivant, en milieu d'après-midi, alors qu'il pleuvait à torrents. Boueux jusqu'aux yeux, le hoqueton trempé, Bersumée pénétra dans une taverne voisine du Louvre, pour s'y restaurer et y faire réflexion. Car tout le long du chemin l'inquiétude n'avait cessé de lui moudre la tête. Comment savoir s'il faisait bien ou mal, s'il agissait pour ou contre ses intérêts ? Devait-il en référer à Marigny, ou bien se rendre chez Mgr d'Artois ? A enfreindre les ordres du premier, que gagnerait-il auprès du second ? Marigny... d'Ar-

tois... d'Artois ou Marigny ? Ou bien alors, pourquoi pas le grand inquisiteur ?

La providence parfois veille sur les sots. Tandis que Bersumée se séchait le ventre au feu,
une grande claque appliquée sur le dos le tira de
ses méditations.

C'était le sergent Quatre-Barbes, un ancien
compagnon de garnison, qui venait d'entrer et
l'avait reconnu. Ils ne s'étaient pas vus depuis
six ans. Ils s'embrassèrent, reculèrent pour s'examiner, s'embrassèrent encore, et à grand bruit
réclamèrent du vin afin de célébrer leurs retrou-
vailles.

Quatre-Barbes, un gaillard maigre aux dents
noires et aux prunelles logées dans le coin des
yeux, était sergent d'archers à la compagnie du
Louvre : il avait ses habitudes dans cette taverne.
Bersumée l'enviait de résider à Paris. Quatre-
Barbes enviait Bersumée d'être monté en grade
plus rapidement, et de commander une forteresse. Tout allait donc bien puisque chacun pouvait se croire admiré de l'autre !

« Comment ? C'est toi qui gardes la reine Marguerite ? On dit qu'elle avait cent amants. La
cuisse doit lui brûler, et je gage que tu ne t'en-
nuies guère, vieux pendard ! s'écria Quatre-Barbes.

— Ah ! Ne crois pas cela ! »

Des gaillardises, ils passèrent aux souvenirs,
puis aux problèmes du jour. Qu'y avait-il de vrai
dans la prétendue disgrâce de Marigny ? Quatre-
Barbes devait savoir, lui qui vivait dans la capitale. Bersumée apprit ainsi que Mgr de Marigny
avait triomphé des noises qu'on lui voulait cher-

cher, que le roi trois jours plus tôt l'avait rappelé et embrassé devant plusieurs barons, et qu'il était à nouveau aussi puissant que jamais.

« Me voilà fourré dans de bons draps avec cette lettre... », pensait Bersumée.

La langue déliée par le vin, Bersumée glissa vers les confidences, et, demandant à Quatre-Barbes de lui jurer un secret qu'il se montrait lui-même incapable d'observer, lui révéla la raison de son voyage.

« A ma place, comment agirais-tu ? »

Le sergent balança un moment son long nez au-dessus du pichet, puis répondit :

« A ta place, j'irais prendre les ordres de messire de Pareilles. Il est ton chef. Au moins, tu te seras mis à couvert.

— C'est bien pensé. Ainsi ferai-je. »

L'après-midi s'était écoulé à parler et à boire. Bersumée était un peu ivre, et surtout se sentait soulagé puisqu'on avait pris une décision pour lui. Mais l'heure était trop avancée pour qu'il l'exécutât sur-le-champ. Et Quatre-Barbes, ce soir-là, n'était pas de garde. Les deux compagnons soupèrent dans la taverne ; l'aubergiste s'excusa de n'avoir à leur servir que des saucisses aux pois, et se plaignit longuement des difficultés qu'il rencontrait pour se ravitailler. Le vin seul ne lui manquait pas.

« Vous êtes encore logé à meilleure enseigne que nous, dans nos campagnes ; on commence à y vendre l'écorce des arbres », dit Bersumée.

Après quoi, pour que la fête fût complète, Quatre-Barbes entraîna Bersumée dans les ruelles, derrière Notre-Dame, chez les filles follieuses qui, par ordonnance datant de saint Louis, continuaient à porter les cheveux teints couleur de cuivre, afin qu'on pût les distinguer des femmes honnêtes.

Au petit jour, Quatre-Barbes invita son ami à venir faire toilette dans son casernement du Louvre ; et vers none, brossé, astiqué, rasé jusqu'au sang, Bersumée se présenta au corps de garde du Palais pour y demander messire de Pareilles.

Le capitaine général des archers ne montra aucune hésitation après que Bersumée lui eut expliqué son cas.

« De qui recevez-vous vos instructions ?

— De vous, messire.

— Qui, au-dessus de moi, commande à toutes les forteresses royales ?

— Mgr de Marigny, messire.

— A qui devez-vous en référer pour toutes choses ?

— A vous, messire.

— Et par-dessus moi ?

— A Mgr de Marigny. »

Bersumée retrouvait ce sentiment d'honneur à la fois et de protection que connaît le bon militaire devant un homme porteur d'un grade supérieur au sien, et qui lui dicte une conduite.

« Alors, conclut Alain de Pareilles, c'est à Mgr de Marigny qu'il vous faut délivrer cette missive. Mais veillez à la lui remettre en main propre. »

Une demi-heure plus tard, rue des Fossés-Saint-Germain, on vint annoncer à Enguerrand de Marigny, qui travaillait dans son cabinet, qu'un certain capitaine Bersumée, venant de la part de messire de Pareilles, insistait pour le voir.

« Bersumée... Bersumée..., dit Enguerrand. Ah ! C'est l'âne qui commande à Château-Gaillard. Qu'il entre. »

Tout tremblant d'être introduit devant un si grand personnage, Bersumée eut quelque peine à sortir de dessous son hoqueton et sa cotte la lettre destinée à Mgr d'Artois. Marigny la lut aussitôt, fort attentivement, et sans que rien parût sur son visage.

« Quand cela a-t-il été écrit ? demanda-t-il.

— Le jour d'avant hier, Monseigneur.

— Vous avez fort bien agi en me l'apportant. Je vous en complimente. Assurez Madame Marguerite que sa lettre ira où elle doit aller. Et s'il lui vient envie d'en écrire d'autres, faites-leur prendre le même chemin... En quel point se trouve Madame Marguerite ?

— Comment on peut se trouver en prison, Monseigneur. Mais elle résiste mieux, à coup sûr, que Madame Blanche, dont l'esprit paraît un peu se déranger. »

Marigny fit un geste vague qui signifiait que l'esprit des prisonnières lui importait peu.

« Veillez à leur santé de corps ; qu'elles soient nourries et chauffées.

— Monseigneur, je sais que ce sont vos ordres ; mais je n'ai que du blé noir à leur servir, parce qu'il m'en reste un peu en réserve. Pour le bois, il me faut envoyer mes archers en couper ; or, je ne peux exiger trop fréquentes corvées d'hommes qui ne mangent pas à leur suffisance.

— Mais pourquoi cela ?

— L'argent me manque à Château-Gaillard. Je

n'ai point reçu de quoi aligner mes hommes en solde, ni renouveler les fournitures qui sont au prix que vous savez, par ce temps où la famine sévit. »

Marigny haussa les épaules.

« Vous ne m'étonnez point, dit-il. Partout il en va de même. Ce n'est pas moi, ces derniers mois, qui ai gouverné le Trésor. Mais les choses vont revenir en ordre. Le payeur de votre bailliage vous alignera avant une semaine. Combien vous doit-on à vous-même ?

— Quinze livres six sols, Monseigneur.

— Vous allez sur-le-champ en recevoir trente. »

Et Marigny appela un secrétaire pour qu'on raccompagnât Bersumée et qu'on lui payât le prix de son obéissance.

Demeuré seul, Marigny relut la lettre de Marguerite, réfléchit un moment, et puis la jeta dans le feu ; et il resta devant la cheminée tout le temps que le parchemin mit à se consumer.

Il se sentait vraiment en cet instant le plus puissant des personnages du royaume ; il tenait en main tous les destins, même celui du roi.

TROISIÈME PARTIE

LE PRINTEMPS DES CRIMES

I

LA FAMINE

La misère des hommes de France fut plus grande cette année-là qu'elle ne l'avait été depuis cent ans, et le fléau des siècles passés, la famine, réapparut.

A Paris, le prix du boisseau de sel atteignit dix sous d'argent et le setier de froment se vendit jusqu'à soixante sous, taux jamais atteints. Cet anormal enchérissement résultait, certes, en premier lieu, de la désastreuse récolte de l'été précédent ; mais il était dû aussi pour une bonne part à la désorganisation de l'administration, à l'agitation que les ligues baronniales entretenaient en plusieurs provinces et qui rendaient les échanges difficiles, à la panique des gens qui avaient engrangé par peur de manquer, à l'avidité enfin des spéculateurs.

Février est le plus terrible mois à franchir du-

rant les années de disette. Les dernières provisions
de l'automne sont épuisées, de même que la résistance des corps et des âmes. Le froid s'ajoute à
la faim. C'est le mois où l'on meurt le plus. Les
gens désespèrent de revoir jamais le printemps,
et ce désespoir chez les uns se tourne en abatte-
ment et chez les autres en haine. A prendre trop
souvent le chemin du cimetière chacun se demande quand viendra son tour.

Dans les campagnes, on mangeait les chiens
qu'on ne pouvait plus nourrir, et l'on chassait les
chats redevenus sauvages. Faute de fourrage, le
bétail crevait et l'on se battait autour des rebuts
d'équarrissage. Des femmes arrachaient l'herbe
gelée pour la dévorer. On savait que l'écorce de
hêtre faisait une meilleure farine que l'écorce de
chêne. Des adolescents se noyaient chaque jour
sous la glace des étangs pour avoir voulu y prendre du poisson. Il n'y avait presque plus de vieil-
lards. Les menuisiers, hâves et surmenés, clouaient
sans relâche des cercueils. Les moulins étaient
muets. Des mères folles berçaient des cadavres
d'enfants. Parfois on assiégeait un monastère ;
mais l'aumône était sans pouvoir quand il ne
restait rien à acheter que des suaires. Parfois,
des hordes titubantes montaient des champs vers
les bourgs dans le vain rêve de s'y faire donner
du pain ; mais elles se heurtaient à d'autres hordes d'affamés qui venaient de la ville et parais-
saient avancer vers le Jugement dernier.

Il en était ainsi dans les régions réputées riches
comme dans les régions pauvres, en Artois aussi
bien qu'en Auvergne, en Poitou comme en Champagne, en Bourgogne comme en Bretagne, et

même en Valois, en Normandie, en Beauce, et même en Brie, et même en Ile-de-France. Il en était ainsi à Neauphle et à Cressay.

La malédiction qui depuis un an accablait la famille royale semblait s'être étendue pendant l'hiver au royaume tout entier.

Guccio, lorsqu'il était revenu d'Avignon à Paris en escortant Bouville, avait bien traversé cette affliction. Mais logeant dans les prévôtés ou les châteaux royaux, et muni de bon or pour satisfaire aux prix démesurés des auberges, il avait regardé la disette d'assez haut.

Il ne s'en souciait pas davantage, une semaine après son retour, en trottant sur la route de Paris à Neauphle. Son manteau fourré était chaud, sa monture bien allante, et il courait vers la femme qu'il aimait. Il polissait les phrases par lesquelles il allait raconter à la belle Marie de Cressay comment il avait parlé d'elle avec Madame Clémence de Hongrie, bientôt peut-être reine de France, et comment son souvenir ne l'avait pas quitté un seul jour... ce qui était d'ailleurs la vérité. Car les infidélités fortuites n'empêchent pas de songer, bien au contraire, à qui l'on est infidèle ; c'est même la manière la plus fréquente qu'ont les hommes d'être constants. Et puis il décrirait à Marie les splendeurs de Naples... Et il se sentait vêtu des prestiges du voyage et des hautes missions ; il venait se faire aimer.

Ce ne fut qu'au voisinage de Cressay, parce qu'il connaissait bien le pays et lui vouait tendresse, que Guccio commença d'ouvrir les yeux sur autre chose que sur soi-même.

Le désert des champs, le silence des hameaux,

la rareté des fumées qui s'élevaient des masures, l'absence d'animaux, l'état de maigreur et de saleté des quelques hommes rencontrés, et surtout leurs regards, donnèrent au jeune Toscan un sentiment de malaise et d'insécurité. Et lorsqu'il pénétra dans la cour du vieux manoir, au-dessus du ruisseau de la Mauldre, il eut l'intuition du malheur.

Pas un coq sur le fumier, pas un meuglement du côté des étables, pas un aboi de chien. Le jeune homme avança sans que quiconque, serviteur ou maître, parût à son approche. La maison semblait morte. « Sont-ils tous partis ? se demanda-t-il. Les a-t-on saisis pendant mon absence ? Qu'est-il arrivé ? Ou bien la peste aurait-elle sévi par ici ? »

Il noua les rênes de son cheval à un anneau du mur et entra dans le corps du logis. Il se trouva en face de Mme de Cressay.

« Oh ! messire Guccio ! s'écria-t-elle. Il me semblait bien... il me semblait bien... Vous voici donc... »

Des larmes étaient venues aux yeux de dame Eliabel, et elle prit appui sur un meuble, comme si la surprise la faisait vaciller. Elle avait maigri de vingt livres, et vieilli de dix ans. Elle flottait dans sa robe qui naguère se tendait bien fort sur ses hanches et sa poitrine ; elle montrait une mine grise, et des joues affaissées sous sa guimpe de veuve.

Guccio, pour dissimuler sa surprise à la voir si changée, regarda la grand-salle autour de lui. Auparavant, on y percevait une certaine dignité de vie seigneuriale maintenue malgré de petits moyens ; aujourd'hui, tout y disait la misère sans défense, le dénuement désordonné et poussiéreux.

« Nous ne sommes point dans notre meilleur pour accueillir un hôte, dit tristement dame Elia-bel.

— Où sont vos fils ?

— A la chasse, comme chaque jour.

— Et Mme Marie ? demanda Guccio.

— Hélas ! fit dame Eliabel en baissant les yeux.

— Qu'est-il arrivé ? »

Dame Eliabel haussa les épaules, d'un geste de désolation.

« Elle est si bas, dit-elle, si faible que je n'es-père plus qu'elle se relève jamais, ni même qu'elle atteigne Pâques.

— Quel mal a-t-elle ? dit Guccio avec une impa-tience anxieuse.

— Mais le mal dont nous souffrons tous et dont on meurt à foison par ici ! La faim, signor Guccio. Pensez donc, si de gros corps comme l'était le mien sont tout épuisés, pensez au ravage que la faim peut faire sur des filles encore à grandir.

— Mais, par Dieu, dame Eliabel, s'écria Guccio, je croyais que la disette ne frappait que les pau-vres gens !

— Et qui croyez-vous que nous sommes, sinon de pauvres gens ? Ce n'est point parce que nous avons la chevalerie et un manoir qui croule que nous sommes mieux lotis. Tout notre bien, à nous petits seigneurs, est dans nos serfs et dans le la-beur que nous en tirons. Comment pourrions-nous attendre qu'ils nous nourrissent, quand ils n'ont pas à manger pour eux-mêmes et viennent mourir devant notre porte en nous tendant la main ? Nous avons dû tuer notre bétail pour le partager avec eux. Ajoutez à cela que le prévôt nous a obligés de lui fournir des vivres, d'ordre du roi a-t-il dit, sans doute pour nourrir ses sergents, car ceux-là sont toujours bien gras... Quand tous nos paysans seront morts, que nous restera-t-il, sinon que d'en faire autant ? La terre ne vaut rien ; elle ne vaut qu'autant qu'on la travaille, et ce ne sont point les cadavres qu'on y enfouit qui la feront produire... Nous n'avons plus ni valets ni servantes. Notre pauvre boiteux...

— Celui que vous appeliez votre écuyer tranchant ?

— Oui, notre écuyer tranchant..., dit-elle avec un sourire triste. Eh bien, il est parti pour le cimetière l'autre semaine. Et tout à l'avenant. »

Guccio hocha la tête, d'un air de compassion. Mais une seule personne, dans tout ce drame, lui importait.

« Où est Marie ? demanda-t-il.

— Là-haut, dans sa chambre.

— Puis-je la voir ?

— Venez. »

Guccio la suivit dans l'escalier qu'elle gravit d'un pas lent, marche à marche, en s'aidant de la corde de chanvre qui pendait le long du pivot de la vis.

Marie de Cressay reposait sur un lit étroit, à l'ancienne mode, où les couvertures n'étaient pas bordées et où les matelas et les coussins étaient très élevés sous le buste, en sorte que la personne allongée semblait sur un plan incliné, les pieds piquant vers le sol.

« Messire Guccio... Messire Guccio... », murmura Marie.

Ses yeux étaient agrandis d'un cerne bleu ; ses longs cheveux châtains et or étaient épars sur un oreiller de velours râpé jusqu'à la trame. Ses joues amincies, son cou fragile, présentaient une transparence inquiétante. L'impression de rayonnement solaire qu'elle donnait auparavant s'était effacée, comme si un grand nuage blanc fût passé au-dessus d'elle.

Dame Eliabel se retira, pour éviter de montrer ses larmes.

« Marie, ma belle Marie, dit Guccio en s'approchant du lit.

— Enfin, vous voilà ; enfin, vous êtes de retour. J'ai eu si peur, oh ! si peur de mourir sans vous revoir. »

Elle regardait intensément Guccio, et ses yeux contenaient une grande question inquiète. Inclinée comme elle se trouvait par l'étrange entassement des matelas, elle ne semblait pas absolument réelle, mais découpée dans quelque fresque, ou plutôt dans un vitrail aux perspectives redressées.

« De quoi souffrez-vous, Marie ? dit Guccio.

— De faiblesse, mon bien-aimé, de faiblesse. Et puis de la grande crainte que vous m'ayez abandonnée.

— J'ai dû aller en Italie pour le service du roi, et partir si hâtivement que je n'ai pu vous en avertir.

— Pour le service du roi... », répéta-t-elle faiblement.

La grande interrogation muette était toujours au fond de son regard. Et Guccio se sentit brusquement honteux de sa bonne santé, de ses vête-

ments fourrés, des semaines insouciantes passées
en voyage, honteux même du soleil de Naples,
honteux surtout de la vanité qui l'emplissait jusqu'à l'heure précédente pour avoir vécu parmi les
puissants de ce monde.

Marie avança sa belle main amaigrie ; et Guccio prit cette main ; et leurs doigts refirent connaissance, s'interrogèrent et finirent par s'unir,
entrecroisés dans ce geste où l'amour se promet
plus sûrement que par un baiser, comme si les
mains de deux êtres se liaient pour une même
prière.

La question muette disparut alors du regard
de Marie. Elle ferma les paupières et ils restèrent
ainsi un moment sans parler.

« Il me semble, à tenir vos doigts, que j'y puise
force, dit-elle enfin.

— Marie, voyez ce que je vous ai rapporté ! »

Il tira de son aumônière deux plaques d'or
fines et gravées, incrustées de perles et de pierres cabochons, comme il était de mode alors
dans les classes riches d'en coudre aux cols des
manteaux. Marie prit les plaques et les éleva jusqu'à ses lèvres. Guccio eut un serrement de cœur,
car, un bijou, fût-il ciselé par le plus habile or-
fèvre de Florence ou de Venise, n'apaise point
la faim. « Un pot de miel ou de fruits confits eût
été aujourd'hui un meilleur présent », pensa-t-il.
Et une grande hâte d'agir le saisit.

« Je vais aller chercher de quoi vous guérir,
s'écria-t-il.

— Que vous soyez là, que vous pensiez à moi,
je ne demande rien d'autre... Partez-vous déjà ?

— Je serai de retour dans peu d'heures. »

Il allait franchir la porte.

« Votre mère... sait-elle ? » dit-il à mi-voix.

Marie fit des paupières un signe négatif.

« Je n'ai point voulu disposer de vous, répondit-elle. C'est à vous de disposer de moi, si Dieu veut que je vive. »

En redescendant dans la grand-salle, Guccio trouva dame Eliabel en compagnie de ses deux fils qui venaient de rentrer. Le visage creux, les yeux brillants de fatigue, les vêtements déchirés et mal rapiécés, Pierre et Jean de Cressay portaient eux aussi les marques de la détresse. Ils témoignèrent à Guccio la joie qu'ils avaient de revoir un ami. Mais ils ne pouvaient se défendre d'un peu d'envie et d'amertume à contempler l'aspect prospère du jeune Lombard. « La banque, décidément, se défend mieux que la noblesse », pensait Jean de Cressay.

« Notre mère vous a raconté et puis vous avez vu Marie..., dit Pierre. Admirez notre chasse de ce matin. Un corbeau qui s'était rompu la patte, et un mulot. L'honnête bouillon pour toute une famille que l'on va faire avec cela ! Que voulez-vous ? Tout est piégé. On a beau promettre le bâton aux paysans s'ils chassent pour eux-mêmes, ils préfèrent recevoir le bâton et manger le gibier. A leur place on en ferait autant. Il ne nous reste que trois chiens...

— Les faucons milanais que je vous ai donnés l'automne passé vous font-ils bon service, au moins ? » demanda Guccio.

Les deux frères baissèrent les yeux d'un air gêné. Puis Jean, l'aîné, se décida à dire en tirant sur sa barbe :

« Nous avons dû les céder au prévôt Portefruit, pour qu'il consentît à nous laisser notre dernier porc. D'ailleurs, nous n'avions plus de quoi les acharner.

— Vous avez eu grandement raison, répondit Guccio ; à l'occasion, je vous en procurerai d'autres.

— Ce blaireau de prévôt, s'écria Pierre de Cressay, ne s'est point fait meilleur, je vous jure, depuis la fois que vous nous avez tirés de ses griffes. Il est à lui seul pire que la disette, et il en double le mal.

— J'ai vergogne, messire Guccio, de la petite chère que je vais vous offrir à partager », dit la veuve.

Guccio mit à son refus beaucoup de délicatesse, alléguant qu'il était attendu à son comptoir de Neauphle.

« Je vais faire en sorte aussi de vous découvrir quelques victuailles, ajouta-t-il. Vous ne pouvez continuer ainsi, et surtout votre fille.

— Nous vous avons moult grâces de votre pensée, répondit Jean de Cressay, mais vous ne trouverez rien, fors l'herbe au long des chemins.

— Allons donc ! s'écria Guccio en frappant sur sa bourse. Je ne serais point Lombard si je n'y réussissais.

— L'or même n'est plus d'utilité.

— C'est bien ce que nous verrons. »

Il était dit que Guccio, à chacun de ses passages dans cette famille, y jouerait le chevalier sauveur et non le créancier. Il ne songeait même plus à la dette de trois cents livres jamais acquittée depuis la mort du sire de Cressay.

Il piqua vers Neauphle, persuadé que les commis du comptoir Tolomei le tireraient d'affaire. « Tels que je les connais, ils ont dû prudemment engranger, ou bien ils savent où se fournir lorsqu'on a les moyens de payer. »

Mais il surprit les trois commis serrés autour d'un feu de tourbe ; ils avaient la mine cireuse et le nez tristement pointé vers le sol.

« Depuis deux semaines, tout trafic est arrêté, signor Guccio, lui déclara le chef du comptoir. On ne fait même point une opération par jour. Les créances ne rentrent pas, et il n'avancerait à rien d'ordonner saisie ; on ne prend pas le néant... Des provisions de bouche ? »

Il haussa les épaules.

« Nous allons faire festin tout à l'heure d'une livre de châtaignes, poursuivit-il, et nous en lécher les lèvres pendant trois jours. Vous avez encore du sel à Paris ? C'est le manque de sel surtout qui fait dépérir. Si vous pouviez seulement nous en faire parvenir un boisseau ! Le prévôt de Montfort en a, mais il ne veut point le distribuer. Ah ! celui-là n'est privé de rien, soyez-en certain ; il a rançonné tout l'alentour comme pays en guerre.

— Mais c'est une vraie peste, en vérité, que ce Portefruit ! s'écria Guccio. Je m'en vais lui parler, moi. Je l'ai déjà maté une fois, ce voleur.

— Signor Guccio... », dit le chef du comptoir voulant engager le jeune homme à la prudence.

Mais Guccio était déjà dehors et remontait à cheval. Un sentiment de haine comme il n'en avait jamais connu lui écartelait la poitrine. Parce que Marie de Cressay était en train de mourir de

faim, il passait du côté des pauvres et des souf-
frants ; et à cela seul, il eût pu s'apercevoir que
son amour était vrai.

Lui, le Lombard, l'enfant de l'argent, il prenait
brusquement parti pour le clan de la misère. Il
remarquait à présent que les murs des maisons
semblaient suer la mort. Il se sentait solidaire
de ces familles chancelantes qui suivaient des
cercueils, de ces hommes à la peau collée sur
les pommettes et dont les regards étaient deve-
nus des regards de bêtes.

Il allait planter sa dague dans le ventre du prévôt Portefruit ; il y était décidé. Il allait venger
Marie, venger toute la province et accomplir un
geste de justicier. Il serait arrêté, bien sûr, il
voulait l'être, et l'affaire irait loin. Son oncle Tolomei remuerait ciel et terre ; messire de Bouville et Monseigneur de Valois seraient avertis.
Le procès viendrait devant le Parlement de Paris, et même devant le roi. Et alors Guccio s'écrie-
rait : « Sire, voilà pourquoi j'ai tué votre prévôt... »

Une lieue et demie de galop lui calma un peu
l'imagination. « Rappelle-toi, mon garçon, qu'un
cadavre ne paie pas d'intérêts », avait-il entendu
répéter par ses oncles banquiers, depuis sa petite enfance. Au bout du compte, chacun ne se
bat bien qu'avec les armes qui lui sont propres ;
Guccio, ainsi que tout Toscan aisé, savait assez
convenablement manier les lames courtes, mais
ce n'était pas là sa spécialité.

Il ralentit donc à l'entrée de Montfort-l'Amaury,
mit son cheval et son esprit au calme, et se présenta à la prévôté. Comme le sergent de garde

ne lui montrait pas tout l'empressement souhaité, Guccio sortit de dessous son manteau le sauf-conduit, scellé du sceau royal, que Valois lui avait fait établir pour les besoins de sa mission à Naples.

Les termes en étaient assez larges... « Je requiers tous baillis, sénéchaux et prévôts de porter aide et assistance... » pour que Guccio pût l'utiliser encore.

« Service du roi ! » dit-il.

A la vue du sceau royal, le sergent de la prévôté devint aussitôt courtois et zélé, et courut ouvrir les portes.

« Tu feras manger mon cheval », lui ordonna Guccio.

Les gens sur lesquels nous avons eu une fois l'avantage se tiennent généralement pour battus d'avance dès qu'ils se retrouvent en notre présence. Veulent-ils regimber, cela ne change rien ; les eaux coulent toujours dans le même sens. Ainsi en était-il entre Portefruit et Guccio.

Les sourcils ronds, les joues rondes, la panse ronde, le prévôt, vaguement inquiet, roula plutôt qu'il ne marcha au-devant de son visiteur.

La lecture du sauf-conduit ne fit que le troubler davantage. Quelles pouvaient bien être les fonctions secrètes de ce jeune Lombard ? Venait-il enquêter, inspecter ? Le roi Philippe le Bel avait ainsi de ces agents mystérieux qui, sous le couvert d'un autre métier, parcouraient le royaume, faisaient leurs rapports ; et puis soudain, une grille de prison s'ouvrait...

« Ah ! messire Portefruit, avant toute chose je

veux vous apprendre, dit Guccio, que je n'ai
point parlé en haut lieu de cette affaire de tailles
de mutation, pour les sires de Cressay, qui nous
donna occasion de nous rencontrer l'autre année. J'ai bien admis qu'il s'agissait d'une erreur.
Ceci pour vous tranquilliser. »

Belle manière, en effet, de rassurer le prévôt !
C'était lui dire en clair, dès l'abord : « Je vous
rappelle que je vous ai pris en flagrant délit de
prévarication, et que je puis le faire savoir quand
je voudrai. »

La face lunaire du prévôt pâlit un peu, ce qui
accentua, par opposition, la couleur vineuse de
la tache de naissance qui lui couvrait la tempe
et une partie du front.

« Je vous sais gré, messire Baglioni, de votre
jugement, répondit-il. En effet, c'était une erreur. D'ailleurs j'ai fait gratter les livres.

— Ils avaient donc besoin d'être grattés ? » remarqua Guccio.

L'autre comprit qu'il venait de prononcer une
sottise dangereuse. Décidément ce jeune Lombard avait le don de lui brouiller la tête.

« J'allais justement me mettre à dîner, dit-il
pour changer au plus vite de sujet. Me ferez-vous
l'honneur de partager... »

Il commençait de se montrer obséquieux. L'habileté commandait à Guccio d'accepter ; les gens
ne se livrent jamais mieux qu'à table. Et puis
Guccio depuis le matin avait beaucoup couru
sans rien manger. Si bien qu'étant parti de Neauphle pour tuer le prévôt, il se retrouva conforta-
blement assis en face de lui, et ne se servant de
sa dague que pour trancher dans un cochon de

lait, rôti à point, et qui baignait dans une belle graisse dorée.

La chère que faisait le prévôt au milieu d'un pays en famine était proprement scandaleuse. « Quand je pense, se disait Guccio, que je suis venu querir de quoi nourrir Marie, et que c'est moi qui suis à goinfrer ! » Chaque bouchée accroissait sa haine ; et comme le prévôt, croyant se concilier son visiteur, présentait ses meilleures provisions et ses vins les plus rares, Guccio, à chaque rasade qu'on le forçait d'accepter, se répétait : « Il rendra compte de tout cela, ce malfaiteur. J'agirai si bien que je l'enverrai se balancer au bout d'une corde. » Jamais repas ne fut dévoré avec plus d'appétit de la part de l'invité, et si peu de bénéfice pour celui qui l'offrait. Guccio ne manquait pas une occasion de mettre son hôte mal à l'aise.

« J'ai appris que vous aviez acquis des faucons, messire Portefruit ? demanda-t-il soudain. Avez-vous donc le droit de chasser comme les seigneurs ? »

L'autre s'étrangla dans son gobelet.

« Je chasse avec les seigneurs d'alentour, lorsqu'ils veulent bien m'y convier », répondit-il vivement.

Il chercha une nouvelle fois à dévier le cours de la conversation, et ajouta :

« Vous voyagez beaucoup, il me semble, messire Baglioni ?

— Beaucoup, en effet, répondit Guccio avec détachement. Je reviens d'Italie, où j'avais affaire pour le compte du roi auprès de la reine de Naples. »

Portefruit se rappela que, lors de leur première rencontre, c'était d'une mission auprès de la reine d'Angleterre que Guccio revenait. Ce jeune homme devait être bien puissant qui paraissait surtout employé à courir vers les reines. En outre, il savait toujours les choses qu'on eût préféré taire...

« Maître Portefruit, les commis du comptoir que mon oncle possède à Neauphle sont réduits à bien grande misère. Je les ai trouvés malades de faim, et ils m'assurent qu'ils ne peuvent rien acheter, déclara soudain Guccio. Comment expliquez-vous que sur un pays si ravagé par la disette, vous imposiez des dîmes en nature, et passiez prendre et saisir tout ce qu'il y reste à mâcher ?

— Eh ! messire Baglioni, c'est une grave question pour moi, et une grande affliction, je vous le jure. Mais je dois obéir aux ordres de Paris. Je suis tenu d'envoyer chaque semaine trois charrettes de vivres, comme tous les autres prévôts de par ici, parce que Mgr de Marigny craint l'émeute et veut tenir sa capitale en main. Comme toujours, c'est la campagne qui souffre.

— Et quand vos sergents ramassent de quoi emplir trois charrettes, ils peuvent aussi bien en remplir quatre et vous en garder une. »

L'angoisse afflua au cœur du prévôt. Ah ! le pénible dîner !

« Jamais, messire Baglioni, jamais ! Qu'allez-vous penser ?

— Allons, allons, prévôt ! D'où vient tout ceci ? s'écria Guccio en désignant la table. Les jambons, que je sache, ne viennent pas tout seuls se pendre à votre heurtoir. Et vos sergents ne sont pas prospères comme on les voit, à seulement lécher la fleur de lis de leur bâton ? »

« Si j'avais su, pensa Portefruit, je l'aurais moins bien traité. »

« C'est que, voyez-vous, répondit-il, si l'on veut maintenir l'ordre dans le royaume, il faut nourrir honnêtement ceux qui ont charge d'y veiller.

— Assurément, dit Guccio, assurément. Vous parlez comme il faut. Un homme nanti d'un si haut office que le vôtre ne doit point raisonner comme les gens du commun, ni ne saurait agir de leur façon. »

Il devenait soudain approbateur, amical, et paraissait se rendre entièrement aux vues de son interlocuteur. Le prévôt, qui avait bu à suffisance pour reprendre courage, donna dans le panneau.

« Ainsi pour les tailles d'impôts..., reprit Guccio.

— Les tailles ? dit le prévôt.

— Eh bien, oui ! Vous les avez en fermage. Or, il faut que vous viviez, que vous payiez vos commis... Alors forcément vous devez prélever plus que ce qui vous est requis par le Trésor. Comment vous y prenez-vous ? Vous doublez la taille, n'est-ce pas ? C'est ce que font à ma connaissance tous les prévôts.

— A peu près, dit Portefruit se laissant aller parce qu'il pensait avoir affaire à quelqu'un d'averti. Nous y sommes bien obligés. Déjà, pour avoir ma charge, j'ai dû fourrer la paume à l'un des commis de Marigny.

— Un commis de Marigny, vraiment ?

— Eh oui... et je continue de lui glisser une coquette bourse à chaque Saint-Nicolas. Il me faut partager aussi avec mon receveur, sans parler de ce que me regratte le bailli qui est au-dessus de moi. Au bout du compte...

— ... il ne vous reste pas tellement pour vous-même, j'entends bien... Alors, prévôt, vous allez me porter aide et moi je vais vous proposer un marché où vous ne perdrez point. Je suis en peine pour nourrir mes commis de Neauphle. Chaque semaine vous leur délivrerez en sel, farine, fèves, miel, et viande fraîche ou séchée, ce qui leur est de besoin et qu'ils vous paieront au meilleur prix de Paris, avec encore un petit surcroît de trois sols à la livre. Je me dispose même à vous laisser vingt livres d'avance », dit-il en faisant sonner sa bougette.

Le tintement de l'or acheva d'endormir la défiance du prévôt. Il discuta un peu, pour la forme, les poids et les prix. Il s'étonnait des quantités demandées par Guccio.

« Vos commis ne sont que trois. Leur faut-il vraiment tant de miel et de pruneaux ? Oh ! je peux, je peux fournir... »

Comme Guccio souhaitait emporter sur-le-champ quelques provisions, le prévôt le conduisit dans sa réserve qui ressemblait fort à un entrepôt.

Maintenant que le marché était conclu, à quoi bon dissimuler ? Et d'une certaine manière, le prévôt éprouvait de la satisfaction à montrer, impunément croyait-il, ses trésors alimentaires. Le nez en l'air, les bras courts, il s'agitait parmi les sacs de lentilles et de pois secs, humait les fromages, caressait de l'œil les chapelets de saucisses.

Bien qu'il eût passé deux heures à table, il semblait que l'appétit lui fût déjà revenu.

« Le gaillard mériterait qu'on le vienne piller à coups de fourches », pensait Guccio. Un valet prépara un fort paquet de victuailles qu'on dissimula dans une toile, et que Guccio fit accrocher à sa selle.

« Et si d'aventure, dit le prévôt en raccompagnant son hôte, vous manquiez vous-même, à Paris...

— Je vous remercie, prévôt, je m'en souviendrai. Mais sans doute ne tarderez-vous pas à me revoir. Et, de toute façon, soyez sûr que je parlerai de vous comme il faut. »

Là-dessus Guccio repartit pour Neauphle, où il remit aux trois commis, éblouis et salivants, la moitié de son butin.

« Il en sera ainsi chaque semaine, leur dit-il. C'est chose convenue avec le prévôt. De ce qu'il vous fournira, vous ferez deux parts, l'une pour vous, l'autre qu'on viendra prendre de Cressay, ou que vous y porterez, bien prudemment. Mon oncle s'intéresse fort à cette famille qui est mieux en cour qu'elle n'en donne l'aspect ; qu'on veille donc à la ravitailler.

— Paieront-ils ces vivres en espèces, ou bien faudra-t-il en augmenter leur créance ? demanda le chef du comptoir.

— Vous tiendrez un compte à part que je surveillerai. »

Dix minutes plus tard Guccio arrivait au manoir et posait au chevet de Marie de Cressay miel, fruits séchés et confiseries.

« J'ai remis en bas, à votre mère, du porc salé, des farines, du sel... »

Les yeux de la malade s'emplirent de larmes.

« Comment avez-vous réussi ?... Messire Guccio, vous êtes donc magicien ? Du miel... oh ! du miel...

— Je ferais bien plus pour vous voir reprendre forces, et pour la joie d'être aimé de vous. Chaque huit jours vous en recevrez autant par mes commis... Croyez-moi, ajouta-t-il en souriant, c'est ouvrage moins difficile que de débusquer un cardinal en Avignon. »

Cela lui rappela qu'il n'était point venu à Cressay uniquement pour y nourrir les affamés ; et, profitant de ce qu'ils étaient seuls, il demanda à Marie si le dépôt qu'il lui avait confié l'automne passé se trouvait toujours à la même place, dans la chapelle.

« Je n'y ai point touché, répondit-elle. J'avais grande inquiétude de mourir sans savoir ce que je devais en faire.

— N'en soyez plus en peine, je vais le reprendre. Et de grâce, si vous m'aimez, ne songez plus à mourir !

— Plus maintenant », dit-elle en souriant à son tour.

Il la laissa puisant dans le pot de miel, à petites cuillerées, et d'un air d'extase.

« Tout l'or du monde, tout l'or du monde pour lui voir ce visage heureux ! Elle vivra, j'en suis sûr. Elle est malade de faim, certes, mais surtout elle était malade de moi », pensait-il avec la belle fatuité de la jeunesse.

Descendu dans la grand-salle il prit dame Eliabel à part pour lui dire qu'il avait rapporté d'Italie d'excellentes reliques, fort efficaces, et qu'il souhaitait prier dessus, seul dans la chapelle, afin d'obtenir la guérison de Marie. La veuve s'émerveilla de ce qu'un jeune homme si dévoué, si allant, si habile, fût en même temps si pieux.

Guccio, ayant reçu la clef, gagna la chapelle où il s'enferma ; il n'eut pas de peine à retrouver la dalle, près de l'autel, la souleva, et, d'entre les ossements effrités d'un lointain sire de Cressay, retira l'étui de plomb qui contenait, outre le double des comptes du roi d'Angleterre et de Mgr d'Artois, la pièce attestant les malversations de l'archevêque Jean de Marigny. « Voilà une bonne relique pour guérir le royaume », se dit-il.

Il replaça la dalle, la recouvrit d'un peu de poussière, et sortit, prenant une mine dévote.

Bientôt après, ayant reçu remerciements, embrassades et bénédictions de la châtelaine et de ses fils, il se remit en route.

Il n'avait pas franchi la Mauldre que les Cressay déjà se précipitaient à la cuisine.

« Attendez, mes fils, attendez au moins que je vous apprête un repas ! » dit dame Eliabel.

Mais elle ne put empêcher les deux frères de tailler de larges rondelles dans une saucisse séchée.

« Ne pensez-vous pas que Guccio est épris de Marie, pour tant se soucier de nous ? dit Pierre de Cressay. Il ne nous réclame pas nos dettes, ni même les intérêts, et au contraire nous couvre de présents.

— Mais non, répondit vivement dame Eliabel.

Il nous aime tous bien, voilà tout, et il est honoré de notre amitié.

— Ce ne serait point un si mauvais parti », dit encore Pierre.

Jean, l'aîné, grogna dans sa barbe. Pour lui, qui était en position de chef de famille, la perspective d'accorder sa sœur à un Lombard heurtait toutes les traditions de noblesse.

« Si telles étaient ses intentions, jamais je n'accepterais... »

Mais comme il avait la bouche pleine, il se retint d'achever sa pensée. Certaines circonstances endorment un moment scrupules et principes. Et Jean de Cressay, mâchant, demeura songeur.

Cependant Guccio, trottant vers Paris, se demandait s'il n'avait pas eu tort de partir si vite, et de ne pas saisir l'occasion pour solliciter la main de Marie.

« Non, c'eût été indélicat. On ne présente point pareille requête à des gens affamés. J'aurais paru vouloir profiter de leur misère. J'attendrai que Marie soit guérie. »

En vérité, le courage de la décision lui avait fait défaut, et il cherchait des excuses à son manque d'audace.

La fatigue, à la tombée du jour, l'obligea de s'arrêter. Il dormit quelques heures à Versailles, petit village triste et isolé au milieu de marécages insalubres. Les paysans, là aussi, mouraient de faim.

Le lendemain matin, Guccio arrivait rue des Lombards ; aussitôt il s'enferma avec son oncle auquel il raconta, d'un ton indigné, tout ce qu'il venait de voir. Son récit occupa une grande heure.

Messer Tolomei, assis devant son feu, écoutait, très calmement.

« J'ai bien fait, pour la famille Cressay ? Tu m'approuves, n'est-ce pas, mon oncle ?

— Certes, certes, mon ami, je t'approuve. Et d'autant plus volontiers qu'il ne sert de rien de discuter avec un amoureux... Tu as rapporté la décharge de l'archevêque ?

— Oui, mon oncle, répondit Guccio en lui tendant l'étui de plomb.

— Tu me dis donc, reprit Tolomei, que le prévôt de Montfort t'a déclaré percevoir le double des tailles, dont il reverse une partie à un commis de Marigny. Sais-tu quel commis ?

— Je pourrai le savoir. Ce drôle me croit maintenant très fort son ami.

— Et il affirme que les autres prévôts agissent de même ?

— Sans hésiter. N'est-ce point une honte ? Et ils font un infâme commerce de la faim, et ils s'engraissent comme porcs, tandis qu'autour d'eux le peuple crève. Le roi ne devrait-il pas en être averti ? »

L'œil gauche de Tolomei, cet œil qu'on ne voyait jamais, s'était brusquement ouvert, et tout son visage en prenait une expression différente, à la fois ironique et inquiétante. En même temps le banquier frottait l'une contre l'autre, lentement, ses mains grasses et pointues.

« Eh bien ! ce sont de fort bonnes nouvelles que tu m'apportes là, mon cher Guccio, de fort bonnes nouvelles », dit-il en souriant.

II

LES COMPTES DU ROYAUME

Spinello Tolomei n'était pas un homme pressé. Il réfléchit deux bonnes journées ; puis, la troisième, ayant mis sa chape par-dessus son manteau fourré, car la pluie tombait en giboulées, il se rendit à l'hôtel de Valois. Il fut reçu rapidement par le comte de Valois lui-même et par Mgr d'Artois, tous deux assez meurtris, aigres en leurs propos, avalant mal leur défaite et cherchant à échafauder de vagues plans de vengeance.

L'hôtel paraissait beaucoup plus calme que les mois passés, et l'on sentait bien que le vent de la faveur soufflait de nouveau du côté de Marigny.

« Messeigneurs, dit Tolomei aux deux grands barons, vous vous êtes conduits ces dernières semaines d'une manière qui, si vous teniez banque ou commerce, vous eût menés tout bonnement à fermer comptoir. »

Il pouvait se permettre ce ton de semonce ; il s'en était acquis le droit pour dix mille livres, non pas versées de sa poche, mais qu'il avait garanties.

« Vous ne m'avez point demandé d'avis ; je ne vous en ai donc pas donné, reprit-il. Mais j'aurais pu vous certifier qu'un homme aussi puissant et aussi averti que l'est messire Enguerrand ne s'amusait pas à mettre les mains dans les coffres du roi. Des comptes purs ? Bien sûr que ses comptes sont purs. S'il a trafiqué, c'est d'autre manière. »

Puis, s'adressant directement au comte de Valois :

« Je vous ai obtenu quelque argent, Monseigneur Charles, afin de vous hisser dans la confiance du roi. Cet argent devait être promptement rendu.

— Mais il le sera, messer Tolomei, il le sera.

— Et quand cela, Monseigneur ? Je n'aurai point l'audace de douter de votre parole. Je suis certain de la créance ; encore m'intéresserais-je à savoir quand et par quels moyens elle sera remboursée. Or, vous n'avez plus la gestion du Trésor ; la voici repassée à Marigny. D'autre part, je ne vois pas qu'ait été promulguée aucune ordonnance concernant l'émission des monnaies, ce qui nous tenait fort à cœur, ni aucune non plus rétablissant le droit de guerre privée. Marigny y fait obstacle.

— Et qu'avez-vous à proposer pour venir à bout de ce sanglier puant ? s'écria Robert d'Artois. Nous y sommes aussi attachés que vous, croyez-le, et si vous pouvez avancer une idée

meilleure que les nôtres, elle sera bienvenue.
C'est une chasse où nous avons besoin de chiens
de relais. »

Tolomei lissa les plis de sa robe, croisa les
mains sur son ventre.

« Messeigneurs, je ne suis pas chasseur, répondit-il, mais je suis Toscan de naissance, et je
sais que, quand on ne peut abattre son ennemi
de face, il faut l'attaquer de profil. Vous vous
êtes portés trop franchement au combat. Cessez
donc d'accuser Marigny et de répandre partout
qu'il est un voleur, puisque le roi a certifié qu'il
ne l'était point. Paraissez pour un temps accepter
qu'il gouverne ; feignez même de vous réconcilier
avec lui ; et puis, par-derrière, faites enquêter
dans les provinces. N'en chargez point les officiers royaux, car ils sont les créatures de Marigny, et justement ceux qu'il vous faut viser. Mais
dites aux nobles, grands et petits, sur qui vous
avez influence, de vous instruire des agissements
des prévôts. En bien des lieux, la moitié seulement des tailles perçues parvient au Trésor. Ce
qu'on ne prend point en argent, on le prend en
vivres que l'on revend à prix prohibés. Faites enquêter, vous dis-je ; et, d'autre part, obtenez du
roi qu'il convoque tous les prévôts, receveurs et
commis de finances afin que leurs livres soient
examinés. Par qui ? Par Marigny, assisté bien sûr
des barons et des conseillers aux comptes. Et en
même temps vous produirez vos enquêteurs.
Alors je vous dis qu'il apparaîtra de telles malversations, et si monstrueuses, que vous pourrez
sans peine en rejeter la faute sur Marigny, et
sans plus vous soucier de savoir s'il est innocent

ou coupable. Ce faisant, Monseigneur Charles, vous aurez les nobles pour vous, qui rechignent à voir sur leurs fiefs les sergents de Marigny se mêler à tout ; et vous aurez aussi le bas peuple qui crève de famine et cherche des responsables à sa misère. Voilà, Messeigneurs, le conseil que je m'autorise à vous donner, et celui que je porterais au roi si j'étais en votre position... Sachez de surcroît que nos compagnies lombardes, qui tiennent comptoir en de nombreux endroits, peuvent si vous le souhaitez aider à votre enquête. »

Valois réfléchit quelques instants.

« Le difficile, dit-il, sera de décider le roi, car il est pour l'heure tout entiché de Marigny et de son frère l'archevêque, dont il attend un pape.

— En ce qui regarde l'archevêque, ne vous inquiétez pas, répliqua le banquier. Je dispose à son usage d'une muselière dont je me suis déjà servi une fois, et que je lui repasserai au nez le moment venu. »

Lorsque Tolomei fut sorti, d'Artois dit à Valois :

« Ce bonhomme-là décidément est plus fort que nous.

— Plus fort... plus fort..., répondit Valois. C'est-à-dire qu'il nous précise dans son langage de marchand les choses que nous pensions déjà. »

Mais il s'empressa, dès le lendemain, de se conformer aux instructions du capitaine général des Lombards, lequel pour une garantie de dix mille livres donnée à ses confrères italiens, s'était offert le luxe de diriger la France.

Un bon mois d'insistance fut nécessaire à

Mgr de Valois pour convaincre le roi. En vain Valois répétait à son neveu :

« Rappelez-vous les derniers mots de votre père. Rappelez-vous comme il vous a dit : « Louis, « sachez au plus tôt l'état de votre royaume. » Eh bien, c'est en convoquant tous les prévôts et receveurs que vous connaîtrez cet état. Et notre saint aïeul dont vous portez le nom vous montre l'exemple en cela aussi. Il ordonna une grande enquête de la sorte, l'an 1247... »

Or, Marigny n'était pas hostile au principe d'une telle réunion ; il y voyait l'occasion de reprendre en main les agents royaux. Car lui aussi constatait des relâchements dans l'administration. Mais il estimait sage de surseoir à la convocation ; il affirmait que le moment était mal choisi, alors que la misère aigrissait le peuple et que les ligues de barons s'agitaient, pour éloigner de leurs résidences, d'un seul coup, tous les officiers du roi.

Il était indéniable que, depuis la mort de Philippe le Bel, l'autorité centrale s'affaiblissait. En réalité, deux pouvoirs s'opposaient, s'empêtraient, s'annulaient l'un l'autre. On obéissait ou bien à Marigny, ou bien à Valois. Tiraillé entre les deux partis, mal renseigné, ne sachant distinguer la calomnie de l'information véritable, et incapable par nature de trancher franchement, Louis X accordait sa confiance tantôt à gauche, tantôt à droite, et croyait gouverner alors qu'il ne faisait que subir.

Cédant à la violence des ligues, et sur avis de la majorité de son Conseil, Louis, le 19 mars de cette année 1315, c'est-à-dire après trois mois et demi de règne, signa la charte aux seigneurs normands, qui allait être suivie presque aussitôt des chartes aux Languedociens, aux Bourguignons, aux Champenois, aux Picards, la dernière intéressant tout particulièrement le comte de Valois et Robert d'Artois. Ces édits effaçaient toutes les dispositions, scandaleuses aux yeux des privilégiés, par lesquelles Philippe le Bel avait interdit les tournois, guerres privées et gages de bataille. Il était à nouveau permis aux gentilshommes « *de guerroyer les uns aux autres, chevaucher, aller, venir et porter les armes* »... Autrement dit, la noblesse française retrouvait son droit ancestral et chéri à se ruiner en vraies ou fausses batailles, à se massacrer, et à ravager à l'occasion le royaume pour vider des querelles de personnes. Quel souverain monstrueux, en vérité, et dont la mémoire méritait d'être honnie, que celui qui pendant trente ans l'avait privée de ces honnêtes passe-temps !

Egalement, les seigneurs redevenaient libres de distribuer des terres et de se créer de nouveaux vassaux, donc souvent de nouveaux profits, sans avoir à en référer au roi. Pour tout litige, les nobles ne devaient désormais comparaître que devant des juridictions nobles. Les sergents et prévôts du roi ne pouvaient plus arrêter les délinquants ou les citer en justice sans en référer d'abord au seigneur du lieu. Les bourgeois et paysans libres n'étaient plus autorisés, sauf en quelques cas exceptionnels, à sortir des terres des seigneurs pour venir se réclamer de la justice du roi. Relativement aux subsides militaires et aux levées de troupes, les barons reprenaient une espèce d'indépendance qui leur permettait de décider s'ils voulaient ou non participer aux guerres nationales, et, dans l'affirmative, combien ils souhaitaient se faire payer.

Marigny parvint à faire inscrire à la fin de ces chartes une formule vague concernant la suprême autorité royale et tout ce qui « *d'ancienne coutume appartenait au souverain prince et à nul autre* ». Cette formule de droit laissait la possibilité à un monarque fort de reprendre pièce à pièce tout ce qui venait d'être cédé. Valois pourtant y consentit, car pour lui, lorsqu'on disait « anciennes coutumes », il entendait « saint Louis ». Mais Marigny nourrissait peu d'illusions ; en esprit comme en fait, c'étaient toutes les institutions du Roi de fer qui s'effondraient. Marigny sortit de ce conseil du 19 mars en déclarant qu'on y avait creusé le lit pour de grands troubles.

Dans le même temps, la convocation des prévôts, trésoriers et receveurs fut enfin décidée ; on expédia, dans tous les bailliages et sénéchaussées, des enquêteurs officiels qu'on appela des « réformateurs », mais sans leur accorder les délais convenables à une inspection sérieuse, puisque la réunion était fixée au milieu du mois suivant ; et comme on cherchait un lieu où tenir cette assemblée, Charles de Valois proposa Vincennes, en souvenir de saint Louis.

Donc, au jour dit, Louis Hutin, ses pairs, ses barons, les dignitaires et principaux officiers de la couronne, les membres du Conseil et de la Chambre des Comptes se rendirent en grand équipage au manoir de Vincennes. Cette belle chevauchée attira les gens sur le pas des portes ; les gamins suivaient en criant : « Vive le Roi ! » dans l'espoir de recevoir une poignée de dragées. Le bruit s'était répandu que le roi allait juger les receveurs d'impôts, et rien, à défaut de pain, ne pouvait davantage satisfaire le peuple.

Le temps d'avril était doux avec des nuages légers qui couraient dans le ciel au-dessus des chênes de la forêt ; un vrai temps de printemps qui redonnait espérance. Si la disette continuait de sévir, au moins en avait-on fini du froid, et l'on se disait que la récolte prochaine serait bonne, si les saints de glace ne tuaient pas les blés nouveaux.

A proximité du manoir royal, une immense tente avait été dressée, comme pour quelque fête ou grand mariage, et deux cents receveurs, trésoriers et prévôts s'y tenaient alignés, les uns sur des bancs de bois, les autres par terre, assis en tailleur.

Sous un dais brodé aux armes de France, le jeune roi, couronne en tête, sceptre en main, vint occuper son faudesteuil, sorte de pliant hérité du siège curule et qui, depuis les origines de la monarchie française, servait de trône au souverain en déplacement. Les accoudoirs du faudesteuil de Louis X étaient sculptés de têtes de lévriers, et le fond garni d'un coussin de soie rouge.

Pairs et barons prirent place de part et d'autre du roi, et les conseillers aux Comptes s'installèrent derrière de longues tables posées sur des tréteaux. Les fonctionnaires royaux, portant leurs registres, furent alors appelés, en même temps que les réformateurs qui avaient circulé dans leurs circonscriptions respectives. Pour hâtives qu'aient été les enquêtes, elles avaient quand même permis de recueillir bon nombre de dénonciations locales dont la plupart se trouvèrent rapidement avérées. Presque tous les comptes présentaient des traces de gaspillages, d'abus et de malversations, surtout dans les derniers mois, surtout depuis la mort de Philippe le Bel, surtout depuis qu'on avait sapé l'autorité de Marigny.

Les barons commençaient à murmurer, comme s'ils eussent tous été eux-mêmes des parangons d'honnêteté, ou comme si les dilapidations eussent atteint leurs biens propres. La peur gagnait les rangs des fonctionnaires, et certains de ceux-ci préférèrent disparaître subrepticement par le fond de la tente, repoussant à plus tard de s'expliquer. Quand on arriva aux prévôts et receveurs des régions de Montfort-l'Amaury, Dourdan et Dreux, sur lesquels Tolomei avait fourni aux réformateurs des éléments fort précis d'accusation, il se fit autour du roi une très vive agitation. Mais le plus indigné de tous les seigneurs, celui qui le plus haut laissa éclater sa colère, fut Marigny. Sa voix couvrit toutes les voix, et il s'adressa à ses subordonnés avec une violence qui leur fit courber le dos. Il exigeait des restitutions, promettait des châtiments. Mgr de Valois, se levant, lui coupa soudain la parole.

« C'est beau rôle que vous jouez là devant nous, messire Enguerrand, s'écria-t-il ; mais il ne sert à rien de tonner si fort au nez de ces coquins, car ils sont hommes que vous avez mis en place, dévoués à vous, et tout dénonce que vous avez partagé avec eux. »

Un si profond silence suivit cette accusation publique qu'on put entendre un coq chanter dans la campagne. Le Hutin, visiblement surpris, regardait de droite et de gauche. Chacun retenait son souffle, car Marigny marchait sur Charles de Valois.

« Messire, répondit-il d'une voix rauque, s'il se trouve en toute cette chiennaille... »

Il désignait de la main ouverte l'assemblée des prévôts.

« ... s'il se trouve un seul, parmi ces mauvais serviteurs du royaume, pour affirmer en conscience et jurer sur la foi qu'il m'a soudoyé en quelque manière, ou remis le moindre profit de ses recettes, je veux qu'il approche. »

Alors, poussé par la grande patte de Robert d'Artois, on vit s'avancer le prévôt de Montfort, dont les comptes étaient en cours d'examen.

« Qu'avez-vous à dire ? Vous venez chercher votre corde ? » lui lança Marigny.

Tout tremblant, sa face ronde marquée d'une tache lie-de-vin, le prévôt restait muet. Pourtant, il avait été bien endoctriné, par Guccio d'abord, puis par Robert d'Artois qui, la veille, lui avait promis qu'il échapperait à tout châtiment, à condition de témoigner contre Marigny.

« Alors, qu'avez-vous à dire ? demanda à son tour le comte de Valois. Ne craignez point d'avouer la vérité, car notre bien-aimé roi est là pour l'entendre, et rendre sa justice. »

Portefruit mit un genou en terre devant Louis X et, croisant ses bras courts, prononça :

« Sire, je suis un grand fautif ; mais j'y ai été obligé par le commis de Mgr de Marigny, qui me réclamait chaque année le quart des tailles, pour le compte de son maître.

— Quel commis ? Nommez-le, et qu'il comparaisse ! cria Enguerrand. Quelles sommes lui avez-vous baillées ? »

Le prévôt alors se démonta, chose qu'auraient pu prévoir ceux qui l'employaient, car il était douteux qu'un homme qui avait perdu pied devant Guccio ne s'effondrât point en présence de Marigny. Il prononça le nom d'un commis mort depuis cinq ans, s'enferra en citant un autre complice, mais qui se trouvait appartenir à la maison du comte de Dreux et non à celle de Marigny. Il fut tout à fait incapable d'expliquer par quelle filière mystérieuse les fonds détournés pouvaient parvenir au recteur du royaume. Sa déposition suait la félonie. Marigny y mit terme en disant :

« Sire, comme vous en pouvez juger, il n'y a pas miette de vrai dans ce que bredouille cet homme. C'est un larron qui, pour se sauver, répète paroles enseignées, et mal enseignées, par mes ennemis. Qu'il me soit reproché d'avoir placé ma confiance en de tels crapauds dont la déshonnêteté vient d'éclater ; qu'il me soit reproché ma faiblesse de n'en avoir point fait rouer une bonne douzaine, je souscrirai à la semonce, encore que depuis quatre mois on m'ait beaucoup ôté les moyens d'agir sur eux. Mais qu'on ne me fasse pas grief de vol. C'est la seconde fois que messire de Valois s'y autorise, et cette fois je ne le tolérerai plus. »

Seigneurs et magistrats comprirent alors que la grande querelle allait enfin se vider.

Dramatique, une main sur le cœur, l'autre pointée vers Marigny, Valois répliquait, s'adressant au roi :

« Sire mon neveu, nous sommes trompés par un méchant homme qui n'est que trop resté au milieu de nous, et dont les méfaits ont attiré sur notre maison la malédiction. C'est lui qui est cause des extorsions dont on se plaint et qui, pour de l'argent qu'on lui a donné, a fait, à la honte du royaume, obtenir plusieurs trêves aux Flamands. Pour cela votre père est tombé dans une tristesse telle qu'il en est trépassé avant son temps. C'est Enguerrand qui est cause de sa mort. Pour moi, je suis prêt à prouver qu'il est un voleur et qu'il a trahi le royaume, et si vous ne le faites arrêter sur-le-champ, je jure Dieu que je ne paraîtrai plus à votre cour ni dans votre Conseil.

— Vous en avez menti par la gueule ! s'écria Marigny.

— Par Dieu, c'est vous qui mentez, Enguerrand », répondit Valois.

La fureur les jeta l'un contre l'autre. Ils s'empoignèrent au col ; et l'on vit ces deux princes, ces deux buffles, dont l'un avait porté la couronne de Constantinople, dont l'autre pouvait contempler sa statue dans la Galerie des rois, se battre, vomissant l'injure comme des portefaix, devant toute la cour et toute l'administration du pays.

Les barons s'étaient levés ; les prévôts et receveurs avaient reculé, faisant tomber leurs bancs. Louis X eut une réaction inattendue ; il se mit, sur son faudesteuil, à tressauter de rire.

Indigné de ce rire autant que du spectacle déshonorant qu'offraient les deux lutteurs, Philippe de Poitiers s'avança et, d'une poigne surprenante chez un homme si maigre, il sépara les adversaires qu'il tint éloignés au bout de ses longs bras. Marigny et Valois haletaient, la face pourpre, les vêtements déchirés.

« Mon oncle, dit Poitiers, comment osez-vous ? Marigny, reprenez empire sur vous-même, je vous en donne l'ordre. Veuillez rentrer chez vous, et attendre que le calme soit revenu en chacun. »

La décision, la puissance qui émanaient soudain de ce garçon de vingt-quatre ans s'imposèrent à des hommes qui avaient près du double de son âge.

« Partez, Marigny, vous dis-je, insista Philippe de Poitiers. Bouville ! Conduisez-le. »

Marigny se laissa entraîner par Bouville et gagna la sortie du manoir de Vincennes. On s'écartait devant lui comme devant un taureau de combat qu'on cherche à ramener au toril.

Valois n'avait pas bougé de place ; il tremblait de haine et répétait :

« Je le ferai pendre ; aussi vrai que je suis, je le ferai pendre ! »

Louis X avait cessé de rire. L'intervention de son frère venait de lui infliger une leçon d'autorité. De plus, il se rendait compte, brusquement, qu'on l'avait joué. Il se débarrassa du sceptre dans les mains de son chambellan, et dit brutalement à Valois :

« Mon oncle, j'ai à vous entretenir sans attendre ; veuillez me suivre. »

III

DE LOMBARD EN ARCHEVÊQUE

« Vous m'aviez assuré, mon oncle, criait Louis Hutin arpentant à grands pas nerveux une des salles du manoir de Vincennes, vous m'aviez bien assuré que vous ne porteriez plus accusation contre Marigny. Et vous l'avez fait ! C'est trop se moquer de mon vouloir. »

Arrivé au bout de la pièce, il tourna vivement sur lui-même, et le manteau court contre lequel il avait échangé son long manteau d'apparat vola en rond à hauteur de ses mollets.

Valois, encore tout essoufflé de la lutte, le visage tuméfié, le col en lambeaux, répondit :

« Le moyen, mon neveu, le moyen de ne point céder à la colère devant une telle vilenie ! »

Il était presque de bonne foi, et se persuadait à présent d'avoir cédé à une impulsion spontanée, alors que sa comédie était depuis bien des jours montée.

« Vous savez mieux que personne qu'il nous faut un pape, reprit le Hutin, et vous savez aussi pourquoi nous ne pouvions nous aliéner Marigny. Bouville nous en avait assez averti !

— Bouville ! Bouville ! Vous ne croyez qu'en ce que vous a rapporté Bouville qui n'a rien vu et qui ne comprend rien. Le petit Lombard qu'on avait mis auprès de lui pour surveiller l'or m'en a plus appris que votre Bouville sur les affaires d'Avignon. Un pape pourrait être élu demain, et disposé à prononcer l'annulation le jour après, si Marigny, et Marigny seul, n'y mettait obstacle par tous les moyens. Vous croyez qu'il travaille à diligenter votre affaire ? Il la ralentit au contraire, à plaisir, car il a bien compris la raison pourquoi vous le gardiez en place. Il ne veut point d'un pape angevin ; il ne veut point que vous preniez une épouse angevine ; et pendant qu'il vous trahit en tout, il assure en sa main tous les pouvoirs que lui avait abandonnés votre père. Où serez-vous ce soir, mon neveu ?

— J'ai décidé de ne point bouger d'ici, répondit Louis d'un air rogue.

— Alors, avant ce soir, je vous aurai produit certaines preuves qui vont écraser votre Marigny ; et je pense qu'alors vous finirez par me le donner.

— Vous ferez bien, mon oncle, qu'il en soit ainsi ; car autrement, il vous faudrait tenir votre parole de ne plus paraître ni à ma cour ni à mon Conseil. »

Le ton de Louis X était celui de la rupture. Valois, très alarmé du tour que les choses prenaient, partit pour Paris, entraînant Robert d'Artois et les écuyers qui leur servaient d'escorte.

« Tout à présent dépend de Tolomei », dit-il à Robert en se hissant en selle.

En route ils croisèrent le train de chariots qui apportaient à Vincennes les lits, coffres, tables, vaisselles qui serviraient au roi pour son installation d'une nuit.

Une heure plus tard, tandis que Valois rentrait en son hôtel pour changer de vêtements, Robert d'Artois faisait irruption chez le capitaine général des Lombards.

« Ami banquier, lui dit-il d'entrée, voici le moment venu de me remettre cet écrit dont vous m'avez dit qu'il établissait les malversations commises par Marigny l'archevêque. Vous savez bien ; la muselière... Mgr de Valois en a besoin sur-le-champ.

— Sur-le-champ, sur-le-champ... Tout beau, Monseigneur Robert. Vous me demandez de me dessaisir d'un outil qui nous a déjà sauvés une fois, moi et tous mes amis. S'il vous donne moyen d'abattre Marigny, j'en suis fort aise. Mais si ensuite par malheur Marigny venait à demeurer, moi je suis un mort. Et puis, et puis, j'ai beaucoup pensé, Monseigneur... »

Robert d'Artois bouillait pendant ce palabre, car Valois l'avait supplié de faire diligence, et il savait le prix de chaque instant perdu.

« Oui, j'ai beaucoup pensé, poursuivait Tolomei. Les coutumes et ordonnances de Mgr saint Louis, qu'on est en train de remettre en vigueur, sont excellentes certes pour le royaume ; mais j'aimerais toutefois qu'on exceptât les ordonnances sur les Lombards par quoi ceux-ci furent d'abord spoliés, puis pour un temps chassés de Paris. Le souvenir ne s'en est point perdu. Nos compagnies ont mis de longues années à s'en relever. Alors, saint Louis... saint Louis... mes amis s'inquiètent, et je voudrais être en mesure de les rassurer.

— Voyons, banquier ! Mgr de Valois vous l'a dit : il vous soutient ; il vous protège !

— Oui, oui, en bonnes paroles, mais nous aimerions mieux que ce fût par écrit. Aussi avons-nous présenté une requête au roi, pour qu'il confirme nos privilèges coutumiers ; et dans ce temps que le roi signe toutes les chartes qu'on lui présente, nous voudrions bien qu'il approuvât aussi la nôtre. Après quoi, volontiers, Monseigneur, je vous mettrai en main de quoi envoyer pendre ou brûler ou rouer, comme vous choisirez, Marigny le jeune ou Marigny l'aîné, ou les deux à la fois... Une signature, un sceau ; c'est l'affaire d'une journée, deux au plus, si Mgr de Valois consent à s'en soucier. La rédaction est prête... »

Le géant abattit sa main sur la table, et tout trembla dans la pièce.

« Assez joué, Tolomei. Je vous ai dit que nous ne pouvions point attendre. Votre charte sera signée demain, je m'y engage. Mais donnez-moi ce soir l'autre parchemin. Nous sommes dans la même partie ; il faudrait bien une fois me faire confiance.

— Mgr de Valois n'est point en mesure d'attendre une seule journée ?

— Non.

— Alors, c'est qu'il a fort perdu dans la faveur du roi, et bien soudainement, dit lentement le banquier en hochant la tête. Que s'est-il donc produit à Vincennes ? »

Robert d'Artois lui fit une brève relation de l'assemblée et de ses suites. Tolomei écoutait, toujours balançant le front. « Si Valois est écarté de la cour, pensait-il, et si Marigny reste en place, alors adieu charte, franchise et privilèges. Le péril à présent est grave... »

Il se leva et dit :

« Monseigneur, quand un prince brouillon comme l'est le nôtre s'entiche vraiment d'un serviteur, on a beau lui en dénoncer les méfaits, il le pardonnera, il lui trouvera excuse, et s'y attachera davantage qu'il l'aura davantage couvert.

— Sauf à prouver au prince que les méfaits ont été commis à son endroit. Il ne s'agit point de dénoncer l'archevêque ; il s'agit de le faire chanter... la muselière au nez.

— J'entends bien, j'entends bien. Vous voulez vous servir du frère contre le frère. Cela peut réussir. L'archevêque, pour autant que je le connaisse, n'a pas une âme de bronze... Allons ! Il y a des risques qu'il faut prendre. »

Et il remit à Robert d'Artois le document que Guccio avait rapporté de Cressay.

Bien qu'archevêque de Sens, Jean de Marigny résidait le plus souvent à Paris, principal diocèse de sa juridiction. Une partie du palais épiscopal lui était réservée. Ce fut là, dans une belle salle voûtée et qui sentait fort l'encens, que le surprit la soudaine entrée du comte de Valois et de Robert d'Artois.

L'archevêque tendit à ses visiteurs son anneau à baiser. Valois fit mine de ne pas remarquer le geste, et d'Artois haussa vers ses lèvres les doigts de l'archevêque avec une si désinvolte impudence qu'on eût cru qu'il allait jeter cette main par-dessus son épaule.

« Monseigneur Jean, dit Charles de Valois, il faudrait bien nous expliquer pour quelles raisons vous et votre frère vous opposez si fort à l'élection du cardinal Duèze, en Avignon, de telle sorte que ce conclave ressemble tout juste à un collège de fantômes. »

Jean de Marigny pâlit un peu, et, d'un ton plein d'onction, répondit :

« Je ne comprends point votre reproche, Monseigneur, ni ce qui le motive. Je ne m'oppose à aucune élection. Mon frère agit au mieux, j'en suis sûr, pour aider aux intérêts du royaume, et moi-même je m'emploie à les servir, dans les limites de mon sacerdoce. Mais le conclave dépend des cardinaux, et non de nos désirs.

— C'est ainsi que vous le prenez ? Soit ! répliqua Valois. Mais puisque la Chrétienté peut se passer de pape, l'archidiocèse de Sens pourrait peut-être aussi se passer d'archevêque !

— Je n'entends rien à vos paroles, Monseigneur, sinon qu'elles sonnent comme une menace contre un ministre de Dieu.

— Serait-ce Dieu par hasard, messire archevê-que, qui vous aurait commandé de détourner certains biens des Templiers ? dit alors d'Ar-tois. Et pensez-vous que le roi, qui est aussi le représentant de Dieu sur la terre, puisse tolérer en la chaire cathédrale de sa maî-tresse ville un prélat déshonnête ? Reconnaissez-vous ceci ? »

Et il tendit, au bout de son poing énorme, la décharge remise par Tolomei.

« C'est un faux ! s'écria l'archevêque.

— Si c'est un faux, répliqua Robert, hâtons-nous alors de faire éclater la justice. Faites donc procès devant le roi pour qu'on découvre le faussaire !

— La majesté de l'Eglise n'aurait rien à y gagner...

— ... et vous tout à y perdre, j'imagine, Monseigneur. »

L'archevêque s'était assis dans une grande cathèdre. « Ils ne reculeront devant rien », pensait-il. Son acte frauduleux remontait à plus d'un an ; les profits en étaient mangés. Deux mille livres dont il avait eu besoin... et toute sa vie allait s'écrouler pour cela. Le cœur lui cognait dans la poitrine, et il se sentait ruisseler de sueur sous ses vêtements violets.

« Monseigneur Jean, dit alors Charles de Valois, vous êtes encore bien jeune, et vous avez un bel avenir devant vous, dans les affaires de l'Eglise comme celles du royaume. Ce que vous avez commis là... »

Il cueillit avec superbe le parchemin aux doigts de Robert d'Artois.

« ... est un errement excusable dans ce temps que toute morale se défait ; vous avez agi sous de mauvaises incitations. Si l'on ne vous avait pas commandé de condamner les Templiers, vous n'auriez pas eu lieu à trafiquer de leurs biens. Il serait grand dommage qu'une faute, qui n'est après tout que d'argent, ternît l'éclat de votre position et vous obligeât à disparaître du monde. Car si cet

écrit venait aux yeux du Conseil des pairs, en
même temps qu'à ceux d'un tribunal d'Eglise, malgré le dépit que nous en aurions, cela vous condui-
rait tout droit en la cellule d'un couvent... A la
vérité, Monseigneur, vous accomplissez un bien
plus grave manquement en servant les agissements
de votre frère contre les vœux du roi. Pour moi,
c'est la faute que je vous reproche avant tout.
Et, si vous acceptez de dénoncer cette seconde
erreur, je vous tiendrai volontiers quitte de la
première.

— Que m'imposez-vous ? demanda l'archevêque.

— Abandonnez le parti de votre frère, qui ne
vaut plus rien, et venez révéler au roi Louis tout
ce que vous savez de ses méchants ordres touchant le conclave. »

Le prélat était de pâte molle. La lâcheté lui venait spontanément dans les heures difficiles. La
peur qu'il ressentait ne lui laissa même pas le
temps de penser à son frère auquel il devait tout ;
il ne songea qu'à lui-même. Et cette absence d'hésitation lui permit de garder une apparente dignité dans le maintien.

« Vous m'avez ouvert la conscience, dit-il, et je
suis prêt, Monseigneur, à racheter mon erreur
dans le sens que vous me dicterez. J'aimerais seulement que ce parchemin me fût rendu.

— C'est chose faite, dit le comte de Valois en
lui remettant le document. Il suffit que Mgr d'Artois et moi-même l'ayons vu ; notre témoignage
vaut devant tout le royaume. Vous allez nous accompagner dans l'instant à Vincennes ; un cheval
vous attend en bas. »

L'archevêque se fit donner son manteau, ses

gants brodés, son bonnet, et il descendit lentement, majestueusement, précédant les deux barons.

« Jamais, murmura d'Artois à Charles de Valois,
jamais je n'ai vu homme au monde ramper avec
une telle hauteur. »

IV

L'IMPATIENCE D'ÊTRE VEUF

CHAQUE roi, chaque homme a ses plaisirs qui, mieux que toute autre chose, révèlent les tendances profondes de sa nature. Louis X montrait peu d'inclination à la chasse, aux joutes, aux passes d'armes, et, de façon générale, à aucun exercice où il risquait blessure. Il aimait depuis l'enfance la longue paume qui se jouait avec des balles de cuir ; mais il s'y essoufflait et échauffait trop vite. Son divertissement préféré consistait à s'installer, un arc en main, dans un jardin fermé, et à tirer au vol, de fort près, des oiseaux, pigeons ou colombes, qu'un écuyer laissait l'un après l'autre échapper d'un grand panier d'osier.

Profitant de l'allongement du jour, il était occupé à ce délassement cruel, dans une petite cour de Vincennes disposée comme un cloître, lorsque son oncle et son cousin, en fin d'après-midi, lui amenèrent l'archevêque.

L'herbe verte et rase, qui couvrait le sol de la cour, était souillée de plumes et de sang. Une colombe, clouée par l'aile à une poutre du déambulatoire, continuait de se débattre et criait ; d'autres, mieux atteintes, gisaient éparses, leurs pattes minces roidies et crispées. Le Hutin poussait une exclamation de joie chaque fois qu'une de ses flèches perçait un oiseau.

« Une autre ! » lançait-il aussitôt à l'écuyer.

Si la flèche, manquant son but, allait s'épointer sur un mur, Louis reprochait alors à l'écuyer d'avoir lâché la colombe au mauvais instant ou du mauvais côté.

« Sire mon neveu, dit Charles de Valois, vous me paraissez plus habile aujourd'hui que jamais ; mais si vous consentiez à interrompre un instant vos exploits, je pourrais vous entretenir des choses bien graves que je vous ai annoncées.

— Quoi ? Qu'est-ce encore ? » dit le Hutin avec impatience.

Il avait le front moite et les pommettes rouges. Il aperçut l'archevêque, et fit signe à l'écuyer de s'éloigner.

« Alors, Monseigneur, dit-il en s'adressant au prélat, est-il vrai que vous m'empêchiez d'avoir un pape ?

— Hélas, Sire ! répondit Jean de Marigny. Je viens vous faire révélation de certaines choses que je croyais commandées par vous et dont je suis durement peiné d'apprendre qu'elles sont contraires à votre volonté. »

Là-dessus, avec l'air de la meilleure foi du monde et quelque emphase dans le ton, il rapporta au roi les manœuvres d'Enguerrand pour retarder la réunion du conclave et faire échec à toute candidature, aussi bien celle de Duèze que celle d'un cardinal romain.

« Si dur qu'il soit, Sire, acheva-t-il, d'avoir à vous découvrir les mauvais actes de mon frère, il m'est plus dur encore de le voir agir contre le bien du royaume, en même temps que celui de l'Eglise, et s'appliquer à trahir tout ensemble son seigneur sur la terre et le Seigneur du Ciel. Je ne le tiens plus pour étant de ma famille, puisque, quand on est homme de mon état, on n'a de vraie famille qu'en Dieu et en son roi. »

« Le bougre arriverait pour un peu à vous tirer les larmes, pensait Robert d'Artois. Vraiment ce coquin-là sait se servir de sa langue ! »

Une colombe oubliée s'était posée sur la toiture de la galerie. Le Hutin tira une flèche qui, traversant l'oiseau, fit bouger les tuiles.

Puis, soudain s'emportant, il cria :

« A quoi donc cela me sert-il, ce que vous me chantez là ? Il est bien temps de dénoncer le mal, quand il est accompli ! Fuyez, messire archevêque, car je me courrouce. »

Robert d'Artois entraîna l'archevêque, dont la besogne était terminée. Valois resta seul avec le roi.

« Me voici en belle posture à présent ! continuait celui-ci. Enguerrand m'a trompé, soit ! Et vous triomphez. Mais cela m'avance-t-il, moi, que vous triomphiez ? Nous sommes au milieu d'avril ; l'été s'approche. Vous vous rappelez, mon oncle, les conditions de Madame de Hongrie : « Avant l'été. » D'ici à huit semaines, m'aurez-vous fait un pape ?

— Honnêtement, mon neveu, je ne le crois plus possible.

— Alors, il n'y a point motif à vous faire si gros et tant vous rengorger.

— Je vous avais assez conseillé, depuis l'hiver, de chasser Marigny.

— Mais puisque cela ne fut pas, hurla Louis X, le mieux n'est-il pas encore d'employer Marigny ? Je m'en vais l'appeler, le semoncer, le menacer ; il faudra bien qu'il obéisse, à la parfin ! »

Aussi enragé que têtu, le Hutin en revenait toujours à Marigny comme à l'unique recours. Il arpentait la cour à grands pas désordonnés, des plumes blanches collées sur ses souliers.

En vérité, chacun avait si bien poussé son jeu personnel, le roi, Marigny, Valois, d'Artois, Tolomei, les cardinaux, la reine de Naples elle-même, que tout le monde se retrouvait bloqué dans une impasse, se meurtrissant réciproquement, mais sans plus pouvoir avancer d'un pas. Valois s'en rendait bien compte, comme il se rendait compte aussi qu'il lui fallait, s'il voulait garder l'avantage, fournir à tout prix un moyen d'issue. Et le fournir vite...

« Ah ! vraiment, mon neveu, s'écria-t-il, quand je pense que j'ai été veuf par deux fois en ma vie, et de deux épouses exemplaires, je me dis que c'est bien grande pitié que vous ne le soyez point d'une femme éhontée.

— Certes, certes, dit Louis ; si cette gueuse pouvait seulement trépasser... »

Brusquement il s'arrêta de marcher, regarda Valois, et comprit que celui-ci n'avait pas seule-

ment parlé par boutade, ou pour déplorer les in-
justices du sort.

« L'hiver fut froid ; les prisons sont mauvaises
pour la santé des femmes, reprit Charles de Valois, et voici longtemps que Marigny ne nous a
point informés de l'état de Marguerite. Je m'éton-
ne qu'elle ait pu résister au régime auquel on l'a
soumise... Peut-être Marigny... ce serait bien un
tour de sa manière... vous cache-t-il qu'elle est
près de sa fin. Il conviendrait d'y aller voir. »

Ils furent sensibles, tous deux, au silence qui
les environnait. Il est précieux, entre princes, de
si bien se comprendre que les paroles cessent
d'être nécessaires...

« Vous m'aviez assuré, mon neveu, dit seulement Valois après un moment, que vous me don-
neriez Marigny le jour que vous auriez un pape.

— Je pourrais vous le donner aussi bien, mon
oncle, le jour que je serais veuf », répondit le
Hutin en baissant la voix.

Valois passa ses doigts bagués sur ses larges
joues couperosées.

« Il faudrait me donner Marigny d'abord, puisqu'il commande toutes les forteresses, et empêche qu'on entre à Château-Gaillard.

— Soit, répondit Louis X. Je lève ma main de
dessus lui. Vous pourrez dire à votre chancelier
de me présenter à signer tous ordres que vous
jugerez utiles. »

Ce même soir, après l'heure du souper, Enguerrand de Marigny, enfermé dans son cabinet, rédi-
geait le mémoire qu'il avait décidé d'adresser au
roi pour réclamer, conformément aux nouvelles
ordonnances, gage de bataille. En clair, il allait

provoquer le comte de Valois en combat singulier, et se trouvait ainsi le premier à demander l'application de ces « chartes aux seigneurs » contre lesquelles il avait tant lutté. Ce fut alors qu'on lui annonça Hugues de Bouville, qu'il reçut aussitôt. L'ancien grand chambellan de Philippe le Bel montrait une mine sombre et semblait tiraillé par des sentiments contraires.

« Enguerrand, je suis venu te prévenir, dit-il en regardant le tapis. Ne dors point cette nuit chez toi, car on veut t'arrêter ; je le sais.

— M'arrêter ? C'est un mot jeté au vent ; ils n'oseront pas, répondit Marigny. Et qui viendrait m'arrêter, je te le demande ? Alain de Pareilles ? Jamais Alain n'accepterait d'exécuter un tel ordre. Il soutiendrait plutôt un siège dans mon hôtel avec ses archers...

— Tu as tort de ne point me croire, Enguerrand ; et tu as eu tort aussi, je t'assure, d'agir comme tu l'as fait ces derniers mois. Quand on est aux places où nous sommes, travailler contre le roi, quel que soit le roi, c'est travailler contre soi-même. Et moi aussi je suis en train de travailler contre le roi en ce moment, pour l'amitié que je te porte, et parce que je voudrais te sauver. »

Le gros homme était sincèrement malheureux. Serviteur loyal du souverain, ami fidèle, dignitaire intègre, respectueux des commandements de Dieu et des lois du royaume, les sentiments qui l'animaient, tous également honnêtes, soudain devenaient inconciliables.

« Ce que je viens t'apprendre, Enguerrand, poursuivit-il, je le sais par Mgr de Poitiers, qui pour

l'heure est ton seul et dernier soutien. Mgr de
Poitiers voudrait mettre de l'espace entre toi et
les barons. Il a conseillé à son frère de t'envoyer
gouverner quelque terre lointaine, Chypre par
exemple.

— Chypre ? s'écria Marigny... Me laisser enfermer dans cette île au bout de la mer, alors que
j'ai commandé le royaume de France ? Est-ce là
qu'on veut m'exiler ? Je continuerai à marcher en
maître sur la terre de Paris, ou bien j'y mourrai. »

Bouville secoua tristement ses mèches noires et
blanches.

« Crois-moi, cette nuit ne dors point chez toi,
répéta-t-il. Et si tu juges ma maison un assez sûr
asile... Fais comme tu voudras ; je t'aurai prévenu. »

Aussitôt Bouville sorti, Enguerrand rejoignit
dans leur appartement son épouse et sa belle-
sœur Chanteloup pour les mettre au courant. Il
avait besoin de parler, et de sentir la présence de
ses proches. Les deux femmes furent d'avis qu'il
fallait partir dans l'instant pour quelqu'une de
leurs terres, aux confins normands, et puis, de là,
si le danger se précisait, gagner un port et se réfu-
gier auprès du roi d'Angleterre.

Mais Enguerrand s'emporta.

« Ne suis-je donc environné, s'écria-t-il, que de
femelles et de chapons ! »

Et il s'alla coucher comme les autres soirs. Il
caressa son chien favori, se fit déshabiller par son
chambellan, et le regarda tirer les poids de l'horloge, objet peu répandu encore, même dans les
hôtels nobles, et qu'il avait acquis à grand prix.
Il tourna un moment dans sa pensée les dernières

phrases de son mémoire au roi, et les nota ; il
s'approcha de la fenêtre, écarta le rideau et con-
templa les toits de la ville éteinte. Les sergents
du guet passaient dans la rue des Fossés-Saint-
Germain, répétant tous les vingt pas, de leur voix
machinale :

« C'est le guet... Il est minuit... Dormez en
paix !... »

Comme toujours, ils étaient en retard d'un
quart d'heure sur l'horloge...

Enguerrand fut réveillé à l'aube par un grand
bruit de bottes dans la cour, et de coups frappés
aux portes. Un écuyer, tout affolé, vint l'avertir
que les archers étaient en bas. Il demanda ses
vêtements, s'habilla en hâte et, dans l'antichambre,
se heurta à sa femme et à son fils qui accouraient,
bouleversés.

« Vous aviez raison, Alips, dit-il à Mme de Marigny en la baisant au front. Je ne vous ai point
assez écoutée. Partez dès ce jour ainsi que Louis.

— Je serais partie avec vous, Enguerrand. Mais
maintenant je ne saurais m'éloigner du lieu où l'on
vous imposera souffrance.

— Le roi est mon parrain, dit Louis de Marigny ; je m'en vais aussitôt courir à Vincennes...

— Ton parrain est une pauvre cervelle, et sa
couronne lui flotte sur la tête », répondit Marigny
avec colère.

Puis, comme il faisait sombre dans l'escalier, il
cria :

« Holà, mes valets ! De la lumière ! Qu'on
m'éclaire ! »

Et quand ses serviteurs eurent obéi, il fit entre
les flambeaux une descente de roi.

La cour était houleuse d'hommes d'armes. Dans l'encadrement de la porte, une haute silhouette en cotte de mailles se découpait sur le matin gris.

« Comment as-tu accepté, Pareilles... Comment as-tu osé ? dit Marigny en élevant les mains.

— Je ne suis pas Alain de Pareilles, répondit l'officier. Messire de Pareilles ne commande plus aux archers. »

Il s'effaça pour laisser passer un homme, en vêtements d'Eglise, qui était le chancelier Etienne de Mornay. Comme Nogaret, huit ans plus tôt, était venu en personne se saisir du grand-maître des Templiers, Mornay venait en personne, aujourd'hui, se saisir de l'ancien recteur du royaume.

« Messire Enguerrand, dit-il, je vous prie de me suivre au Louvre où j'ai ordre de vous enfermer. »

A la même heure, tous les grands légistes bourgeois du règne précédent, Raoul de Presles, Michel de Bourdenai, Guillaume Dubois, Geoffroy de Briançon, Nicole Le Loquetier, Pierre d'Orgemont, étaient arrêtés à leurs domiciles et conduits en diverses prisons, tandis qu'un détachement était expédié vers Châlons pour y enlever l'évêque Pierre de Latille, l'ami de jeunesse de Philippe le Bel, que celui-ci avait si fort réclamé à son chevet dans ses derniers instants.

Avec eux, c'était tout le règne du Roi de fer qui entrait en forteresse.

V

LES ASSASSINS DANS LA PRISON

Lorsque, en pleine nuit, Marguerite de Bourgogne entendit s'abaisser le pont-levis de Château-Gaillard et retentir dans l'enceinte les piétinements d'une chevauchée, elle ne crut point d'abord que ces sons étaient vrais. Elle avait tant attendu, tant rêvé cet instant, depuis qu'était partie sa lettre à Robert d'Artois, par laquelle elle souscrivait à sa déchéance, renonçait à tous ses droits comme à ceux de sa fille, en échange d'une libération promise et qui n'arrivait pas !

Nul ne lui avait répondu, ni Robert ni le roi. Aucun messager n'était apparu. Les semaines s'écoulaient dans un silence plus destructeur que la faim, plus épuisant que le froid, plus dégradant que la vermine. Marguerite, à présent, ne bougeait presque plus de son lit, souffrant d'une fièvre où l'âme avait autant de part que le corps, et qui la maintenait dans un état de conscience trouble. Les

yeux grands ouverts sur les ténèbres de la tour,
elle passait des heures à écouter son cœur battre
à coups trop rapides. Le silence se peuplait de
rumeurs inexistantes ; l'ombre était envahie de
menaces tragiques qui venaient non plus de la
terre, mais de l'au-delà. Le délire des insomnies
désorganisait sa raison... Philippe d'Aunay, le beau
Philippe, n'était pas mort tout à fait ; il marchait,
jambes brisées, ventre sanglant, à côté d'elle ; elle
étendait le bras vers lui et ne pouvait le saisir.
Pourtant, il l'entraînait sur le trajet qui va de la
terre à Dieu, sans plus sentir la terre, et sans jamais voir Dieu. Et cette marche atroce durerait
jusqu'au fond des temps, jusqu'au Jugement dernier. C'était peut-être cela, après tout, le Purga-
toire...

« Blanche ! cria-t-elle, Blanche ! Ils arrivent ! »
Car les cadenas, les verrous, les portes grinçaient vraiment au bas de la tour ; des pas nombreux résonnaient sur les marches de pierre.

« Blanche ! Tu entends ? »
Mais la voix affaiblie de Marguerite, arrêtée par
les épaisses fermetures qui, la nuit, séparaient les
deux geôles, ne parvint pas à l'étage supérieur.

La lumière d'une seule chandelle aveugla la reine
prisonnière. Des hommes se pressaient dans l'embrasure de la porte ; Marguerite ne put les dénom-
brer ; elle ne voyait que le géant au manteau rouge, aux yeux clairs et au poignard d'argent qui
s'avançait vers elle.

« Robert ! murmura-t-elle. Robert, enfin vous
voici. »

Derrière Robert d'Artois, un soldat portait un
siège qu'il déposa auprès du lit.

« Alors, ma cousine, alors, dit Robert en s'asseyant, votre santé ne va pas à merveille, à ce qu'on me dit, et à ce que je vois. Vous souffrez ?

— Je souffre de tout, dit Marguerite ; je ne sais plus si je vis.

— Il était grand temps que j'arrive. Tout va bientôt être fini. Vos ennemis sont abattus. Etes-vous en état d'écrire ?

— Je ne sais », dit Marguerite.

D'Artois, faisant approcher la lumière, observa plus attentivement le visage ravagé, asséché, les lèvres amincies de la prisonnière, et ses yeux noirs anormalement brillants et enfoncés, ses cheveux collés par la fièvre sur le front bombé.

« Au moins, pourrez-vous dicter la lettre que le roi attend. Chapelain ! » appela-t-il en claquant des doigts.

Une robe blanche, fripée et maculée, un crâne beige sortirent de la pénombre.

« L'annulation a-t-elle été prononcée ? demanda Marguerite.

— Comment le serait-elle, ma cousine, puisque vous vous êtes refusée à déclarer ce qu'on vous demandait ?

— Je n'ai pas refusé. J'ai accepté. J'ai tout accepté... Je ne sais plus. Je ne comprends plus.

— Qu'on aille chercher une cruche de vin pour la soutenir », dit d'Artois par-dessus son épaule.

Des pas s'éloignèrent dans la chambre et dans l'escalier.

« Rassemblez vos esprits, ma cousine, reprit d'Artois. C'est maintenant qu'il faut accepter ce que je vais vous conseiller.

— Mais je vous ai écrit, Robert ; je vous ai envoyé une lettre, pour que vous la remettiez à Louis, et où je déclarais... tout ce que vous souhaitiez... que ma fille n'était point de lui... »

Les murs, les visages lui semblaient vaciller autour d'elle.

« Quand ? demanda Robert.

— Mais voici longtemps... des semaines, deux mois il me semble, et j'attends depuis d'être délivrée...

— A qui avez-vous confié cette lettre ?

— Mais... à Bersumée. »

Et soudain Marguerite pensa, affolée : « Ai-je vraiment écrit ? C'est affreux, je ne sais plus... je ne sais plus rien. »

« Demandez à Blanche », murmura-t-elle.

Il se fit un grand bruit auprès d'elle. Robert d'Artois s'était levé, et secouait quelqu'un par le collet en criant si fort que Marguerite avait peine à comprendre les mots.

« Mais, oui, Monseigneur, moi-même... je l'ai portée..., répondait la voix affolée de Bersumée.

— Où l'as-tu remise ? A qui ?

— Lâchez-moi, Monseigneur, lâchez-moi ! Vous m'étouffez... A Mgr de Marigny. J'ai obéi aux ordres. »

Le capitaine de forteresse ne put esquiver le coup de poing qui l'atteignit en plein visage, un vrai coup de masse sous lequel il gémit et oscilla.

« Est-ce que je m'appelle Marigny ? hurlait d'Artois. Quand on te charge d'un pli pour moi, est-ce à un autre que tu dois le remettre ?

— Mais il m'avait affirmé, Monseigneur...

— Tais-toi, animal. Je m'occuperai de solder ton compte un peu plus tard ; et puisque tu es si fidèle à Marigny, je vais t'envoyer le rejoindre dans son cachot du Louvre », dit d'Artois.

Puis, revenant à Marguerite :

« Je n'ai jamais reçu votre lettre, ma cousine. Marigny l'a gardée pour lui.

— Ah ! bien ! » fit-elle.

Elle était presque rassurée ; au moins acquérait-elle la certitude d'avoir vraiment écrit.

A ce moment, le sergent Lalaine entra, apportant la cruche demandée. Robert d'Artois se rassit, et regarda boire Marguerite.

« Que ne me suis-je muni de poison ! se dit-il. C'eût été peut-être le moyen le plus facile. Je suis sot de n'y avoir point pensé... Ainsi, elle avait accepté ; et nous n'en avons rien su. Oui, tout cela est grande sottise, en vérité. Mais à présent, il est trop tard pour y rien changer. Et de toute manière, dans l'état où je la vois, il ne saurait lui rester de longues journées à vivre. »

Ayant soulagé sa colère contre Bersumée, il se sentait détaché et presque triste. Il se tenait, massif, les mains posées sur les cuisses, et entouré d'hommes de guerre armés jusqu'à la tête, devant ce grabat où gisait une femme épuisée. Pourtant avait-il assez détesté Marguerite lorsqu'elle était reine de Navarre et promise au trône de France ! Que n'avait-il tramé pour la perdre, multipliant intrigues, voyages, liguant contre elle et la cour d'Angleterre et la cour de France ? L'hiver dernier encore, si puissant baron qu'il fût, si misérable prisonnière qu'elle se trouvât, il l'eût volontiers broyée quand elle lui opposait refus. Maintenant, son triomphe le conduisait plus loin qu'il n'eût voulu aller. Il n'éprouvait pas de pitié, seulement une espèce d'indifférence écœurée, de lassitude amère. Tant de moyens mobilisés contre un corps amaigri et malade, une pensée sans défense ! La haine, en Robert, s'était éteinte soudain, parce qu'il ne rencontrait plus de résistance à la mesure de sa force.

Il se prenait à regretter, oui, sincèrement, que la lettre ne lui fût pas parvenue, et mesurait l'absurdité des enchaînements du sort. Sans le zèle obtus de cet âne de Bersumée, Louis X, à l'heure présente, eût été déjà en mesure de se remarier, Marguerite installée en un couvent tranquille, et Marigny sans doute encore en liberté. Sinon même toujours au pouvoir. Nul n'eût été acculé aux solutions extrêmes, et lui-même, Robert d'Artois, ne se fût pas trouvé là, chargé d'exécuter une mourante.

« Ce veuvage est nécessaire, mais il doit s'accomplir dans le secret de la famille », lui avait dit Charles de Valois.

Et Robert avait accepté la mission, pour cette raison d'abord qu'elle lui donnerait barre désormais et sur Valois et sur le roi. De tels services se paient sans fin... Et puis le sort, à y mieux regarder, n'était absurde qu'en apparence ; chacun, par les actes que lui dictait sa propre nature, avait contribué à ce qu'il ne pût se dérouler autrement. « N'est-ce pas moi qui ai commencé cette affaire l'année dernière à Westminster ? Il me revient donc de la terminer. Mais aurais-je eu à la commencer si Marigny, pour conclure les mariages de Bourgogne, ne m'avait pas fait dépouiller du comté d'Artois au profit de ma tante Mahaut ?

Et Marigny, à cette heure, se morfond au Louvre. »
Le destin montrait quelque logique.

Robert s'aperçut que tout le monde dans la
pièce le regardait, Marguerite de dessus son grabat, Bersumée qui se frottait la mâchoire, Lalaine
qui avait repris la cruche, le valet Lormet adossé
contre le mur dans la pénombre, le chapelain ser-
rant une écritoire sur son ventre. Ils semblaient
tous stupéfaits de le voir méditer.

Le géant s'ébroua.

« Vous voyez, ma cousine, dit-il, combien Marigny est votre ennemi, comme il est notre ennemi
à tous. Cette lettre volée nous en fournit une nouvelle preuve. Sans Marigny, je gage que vous n'auriez jamais été accusée, ni jugée, ni traitée de la
sorte. Ce félon s'est ingénié à vous nuire, autant
qu'à nuire au roi et au royaume. Mais aujourd'hui,
il est arrêté, et je viens recueillir vos griefs contre
lui afin de hâter à la fois la justice du roi et votre
grâce.

— Que dois-je déclarer ? » demanda Marguerite.

Le vin qu'elle avait bu lui faisait battre le cœur
plus vite encore ; elle respirait de manière hachée,
et se tenait la poitrine.

« Je vais dicter pour vous au chapelain », dit
Robert.

Le dominicain en disgrâce s'assit par terre, la
tablette à écrire posée sur ses genoux ; la chandelle posée à côté de lui éclairait d'en bas les
trois visages.

Robert sortit de son aumônière une feuille pliée,
portant un texte noté qu'il lut au chapelain.

« Sire, mon époux, je me meurs de chagrin
« et de maladie. Je vous supplie de m'accor-

« der pardon, car si vous ne le faites pas vite... »

— Un instant, Monseigneur, je ne puis vous suivre, dit le chapelain ; je n'écris point comme vos clercs de Paris.

— « ... car, si vous ne le faites pas vite, je sens « que j'ai bien peu à vivre et que l'âme va s'enfuir « de moi. Tout est de la faute de messire de Mari- « gny qui m'a voulu perdre dans votre estime et « dans celle du feu roi par dénonciation dont je « jure la fausseté, et qui m'a fait par odieux trai- « tement réduire... »

— Monseigneur, puis-je... un instant encore. »

Le chapelain cherchait son grattoir pour racler une aspérité du velin.

Robert dut attendre un moment, avant de reprendre et de terminer :

« ... réduire à la misère où je suis. Tout est « venu de ce méchant homme. Je vous prie encore « de me sauver de l'état où me voici et vous assure « que je n'ai jamais cessé de vous être épouse « obéissante dans la volonté de Dieu. »

Marguerite s'était soulevée un peu sur son grabat. Elle ne comprenait rien à l'énorme contradiction par laquelle on voulait maintenant qu'elle se proclamât innocente.

« Mais alors, mon cousin, mais alors, demanda-t-elle, tous les aveux que vous m'aviez demandés ?

— Ils ne sont plus nécessaires, ma cousine, répondit Robert ; ce que vous allez signer ici remplacera tout. »

Car l'important à présent pour Charles de Valois était de recueillir le plus de témoignages possible, vrais ou faux, contre Enguerrand. Celui-ci était de taille, qui offrait en outre l'avantage de

laver, au moins d'apparence, le déshonneur du
roi, et surtout de faire annoncer par la reine l'im-
minence de son propre trépas. En vérité, Messeigneurs de Valois et d'Artois étaient gens d'imagination !

« Et Blanche, que va-t-elle devenir ? A-t-on pensé à Blanche ?

— Ne vous en souciez pas, dit Robert. Tout
sera fait pour elle. »

Marguerite traça son nom au bas du parchemin.

Robert d'Artois, alors, se leva et se pencha au-
dessus d'elle. Les assistants avaient reculé vers
le fond de la pièce. Le géant posa la main sur
l'épaule de Marguerite.

Au contact de cette large paume, Marguerite
sentit une bonne chaleur apaisante lui descendre
dans le corps. Elle croisa ses mains décharnées sur
les doigts de Robert, comme si elle craignait qu'il
les retirât trop vite.

« Adieu, ma cousine, dit-il. Adieu. Je vous
souhaite de bien reposer.

— Robert, demanda-t-elle à voix basse en renversant la tête pour chercher son regard, l'autre
fois que vous êtes venu et m'avez voulu prendre,
me désiriez-vous vraiment ? »

Nul homme n'est absolument mauvais. Robert
d'Artois eut à ce moment l'une des rares paroles
de charité qui eussent jamais passé ses lèvres.

« Oui, ma belle cousine, je vous ai bien aimée. »

Et il sentit qu'elle se détendait sous sa main,
calmée, presque heureuse. Etre aimée, être désirée
avait été la vraie raison de vivre de cette reine,
bien plus qu'aucune couronne.

Elle vit son cousin s'éloigner d'elle en même

temps que la lumière ; il lui paraissait irréel tant il était grand, et faisait songer, dans cette pénombre, aux héros invincibles des lointaines légendes.

La robe blanche du dominicain, le bonnet de loup de Bersumée disparurent. Robert poussait son monde devant lui. Un instant il demeura sur le seuil, comme s'il éprouvait une hésitation et avait encore quelque chose à dire. Puis la porte se referma, l'obscurité redevint totale, et Marguerite avec émerveillement n'entendit pas l'habituel bruit des verrous.

Ainsi, on ne la cadenassait plus, et l'omission de ce geste, pour la première fois depuis trois cent cinquante jours, lui parut la promesse de la délivrance.

Demain, on la laisserait descendre, et se promener à sa guise dans Château-Gaillard ; et puis, bientôt, une litière viendrait la prendre et l'emporter vers les arbres, les villes et les hommes... « Pourrai-je me mettre debout ? se disait-elle. Aurai-je la force ? Oh ! oui, la force me reviendra ! »

Son front, sa gorge, ses bras étaient brûlants ; mais elle guérirait, elle savait qu'elle guérirait. Elle savait aussi qu'elle ne pourrait pas dormir du reste de la nuit. Mais elle aurait l'espoir pour compagnie jusqu'à l'aube !

Soudain, elle perçut un bruit infime, pas même un bruit, cette sorte de froissement dans le silence que produit le souffle retenu d'un être vivant. Quelqu'un se tenait dans la pièce.

« Blanche ! cria-t-elle. Est-ce toi ? »

Peut-être avait-on déverrouillé aussi les fermetures du second étage. Pourtant, il ne lui semblait pas que la porte se fût rouverte. Et pourquoi sa cousine aurait-elle pris tant de précautions pour avancer ? A moins que... Blanche n'était pas devenue folle subitement...

« Blanche ! » répéta Marguerite d'une voix angoissée.

Le silence retomba, et Marguerite un moment pensa que sa fièvre inventait des présences. Mais, l'instant d'après, elle entendit le même souffle retenu, plus près, et un très léger crissement sur le sol, comme celui que produisent les ongles d'un chien. On respirait à côté d'elle. C'était peut-être vraiment un chien, le chien de Bersumée entré sur les pas de son maître et oublié là. Ou bien des rats... les rats avec leurs petits pas d'hommes, leurs frôlements, leurs complots affairés, leur manière étrange de travailler la nuit à de mystérieuses tâches. A plusieurs reprises, les rats étaient apparus dans la tour, et Bersumée avait amené son chien, justement, pour les tuer. Mais on n'entend pas les rats respirer.

Elle se dressa brusquement sur sa couche, le cœur affolé ; un objet de métal, arme ou boucle, venait de racler la pierre du mur. Les yeux désespérément ouverts, Marguerite interrogeait les ténèbres autour d'elle.

« Qui est là ? » cria-t-elle.

De nouveau, ce fut le silence. Mais elle savait à présent qu'elle n'était pas seule. Elle retenait elle aussi, inutilement, sa respiration. Une angoisse comme jamais elle n'en avait ressenti l'étreignait. Elle allait mourir dans quelques instants ; elle en avait l'intolérable certitude ; et l'horreur qu'elle éprouvait dans cette attente de l'inadmissible se doublait de l'horreur de ne savoir comment elle allait mourir, ni en quelle place son corps allait être frappé, ni quelle était la présence invisible qui s'approchait d'elle le long du mur.

Une forme ronde, un peu plus noire que la nuit, heurta soudain le lit. Marguerite poussa un hurlement que Blanche de Bourgogne, à l'étage au-dessus, perçut à travers les pierres et qu'elle se souviendrait toujours d'avoir entendu. Le cri fut tranché court.

Deux mains avaient rabattu le drap sur la bouche de Marguerite, et le tordaient autour de sa gorge. Le crâne maintenu contre une épaisse poitrine, les bras battant l'air et tout le corps luttant pour tenter de se délivrer, Marguerite râlait à bruits étouffés. L'étoffe qui lui emprisonnait le cou se resserrait comme un collier de plomb brûlant. La reine suffoquait. Ses yeux s'emplirent de feu ; d'énormes cloches de bronze se mirent à battre dans ses tempes. Mais le tueur possédait un tour de main bien à lui ; la corde des cloches se cassa brusquement, et Marguerite tomba dans le gouffre obscur, sans parois et sans terme.

Quelques minutes plus tard, dans la cour de Château-Gaillard, Robert d'Artois, qui gagnait du temps en buvant un gobelet de vin avec ses écuyers, vit Lormet s'approcher de lui et feindre de resangler son cheval. Les torches avaient été éteintes ; le jour allait poindre. Hommes et montures flottaient dans une brume grise.

« C'est fait, Monseigneur, murmura Lormet.

— Point de traces ? demanda Robert à voix basse.

— Je ne pense pas, Monseigneur. La face ne

sera pas noire ; j'ai rompu les os du col. Et j'ai remis le lit en ordre.

— Cela n'était point travail aisé.

— Vous savez bien que je suis comme les chouettes, Monseigneur ; j'y vois la nuit. »

D'Artois, s'étant hissé en selle, appela Bersumée.

« J'ai trouvé Madame Marguerite bien mal en point, lui dit-il. Je crains fort, à voir son état, qu'elle ne dure pas la semaine. Si elle venait à trépasser, voici les ordres : tu cours à Paris sans autre allure que le galop, et tu te présentes tout droit chez Mgr de Valois, pour lui apprendre la nouvelle à lui le premier, et à lui seul. Chez Mgr de Valois, tu m'as bien entendu. Tâche cette fois à ne pas te tromper d'adresse, et sache clore ton bec. Rappelle-toi que ton Mgr de Marigny est en prison, et que tu pourrais bien avoir une place dans la fournée qui s'apprête pour les potences du roi. »

L'aube commençait à paraître derrière la forêt des Andelys, soulignant d'une mince lueur, entre le gris et le rose, l'horizon des arbres. En bas, le fleuve miroitait faiblement.

Robert d'Artois, descendant de la falaise de Château-Gaillard, sentait sous lui les mouvements réguliers de son cheval dont les flancs tièdes frémissaient contre ses bottes. Il s'emplit les poumons d'un grand coup d'air matinal.

« C'est bon tout de même d'être vivant, murmura-t-il.

— Oui, Monseigneur, c'est bon, répondit Lormet. Pour sûr, ça va être une belle journée de soleil. »

VI

LE CHEMIN DE MONTFAUCON

MALGRÉ l'étroitesse du soupirail, Marigny pouvait voir, entre les gros barreaux scellés en croix, le tissu somptueux du ciel où brillaient les étoiles d'avril.

Il ne souhaitait pas dormir. Il épiait les rares rumeurs nocturnes de Paris, le cri des sergents du guet, le roulement des charrettes campagnardes apportant leurs chargements à la halle aux légumes... Cette ville dont il avait élargi les rues, embelli les édifices, calmé les émeutes, cette ville nerveuse, où l'on sentait à tout instant battre le pouls du royaume et qui avait été pendant seize ans au centre de ses pensées et de ses soucis, il s'était mis, depuis deux semaines, à la haïr comme on hait une personne.

Ce ressentiment datait précisément du matin où Charles de Valois, craignant que Marigny ne trouvât au Louvre des complicités, avait décidé de le transférer à la tour du Temple. A cheval, entouré de sergents et d'archers, Marigny, en traversant une partie de la capitale, s'était rendu compte que le peuple, dont il ne voyait depuis tant d'années que les nuques inclinées, le détestait. Les insultes lancées sur son passage, l'explosion de joie dans les rues, les poings tendus, les moqueries, les rires, les menaces de mort, tout cela avait représenté pour l'ancien recteur du royaume un effondrement pire peut-être que son arrestation elle-même.

Celui qui a longtemps gouverné les hommes, s'efforçant d'agir pour le bien général, et qui sait les peines que cette tâche lui a coûtées, lorsqu'il s'aperçoit soudain qu'il n'a jamais été ni aimé ni compris, mais seulement subi, connaît une immense amertume, et se prend à s'interroger sur l'emploi qu'il a fait de sa vie.

« Les honneurs, je les ai eus tous, mais jamais le bonheur, car jamais je ne pensais avoir parfait mon labeur. Valait-il d'œuvrer autant pour des gens qui me tenaient en si grande aversion ? »

La suite n'était pas moins affreuse. Enguerrand avait été ramené à Vincennes, non plus cette fois pour siéger parmi les dignitaires, mais pour comparaître devant un tribunal de barons et de prélats, et entendre le clerc Jean d'Asnières, dans l'office de procureur, faire lecture de l'acte d'accusation.

« *Non nobis, Domine, non nobis, sed nomini tuo* *... », s'était écrié Jean d'Asnières en commençant.

---

* Pas pour nous, Seigneur, pas pour nous, mais en ton nom...

Au nom du Seigneur, il retenait contre Marigny quarante et un chefs d'accusation : concussion, trahison, prévarication, rapports secrets avec les ennemis du royaume, tous griefs fondés sur d'étranges assertions. Il était reproché à Marigny d'avoir fait pleurer de chagrin le roi Philippe le Bel, d'avoir trompé Mgr de Valois sur l'estimation de la terre de Gaillefontaine, d'avoir été vu parlant seul à seul, au milieu d'un champ, avec Louis de Nevers, fils du comte de Flandre...

Enguerrand avait demandé la parole ; elle lui avait été refusée. Il avait réclamé le gage de bataille ; refusé également. On le déclarait coupable sans même le laisser se défendre, et c'était tout juste comme si l'on jugeait un mort.

Or, parmi les membres du tribunal se trouvait Jean de Marigny. Enguerrand ne pouvait que trop facilement imaginer l'ignoble marché conclu par son frère pour conserver l'archidiocèse qu'il lui avait obtenu ! Tout le temps de ce procès sans débat, Enguerrand cherchait le regard de son cadet ; mais il ne rencontra qu'un visage impassible, des yeux détournés, et de belles mains qui lissaient d'un geste lent les rubans d'une croix pectorale.

« Me regarderas-tu, Judas ? Me regarderas-tu, Caïn ? » grommelait Enguerrand.

Si même son frère se rangeait avec un tel cynisme au nombre de ses accusateurs, comment attendre de quiconque un geste de loyauté ou de gratitude ?

Ni le comte de Poitiers ni le comte d'Evreux ne siégeaient, ne pouvant manifester que par l'absence leur réprobation pour cette parodie de justice.

Les huées populaires avaient de nouveau accompagné Marigny, sur son trajet de retour de Vincennes au Temple où, cette fois, les fers aux pieds, il s'était vu enfermer dans le même cachot qui avait servi pour Jacques de Molay. Sa chaîne avait été rivée au même anneau où l'on rivait naguère la chaîne du grand-maître, et le salpêtre portait encore les marques faites par le vieux chevalier pour compter l'écoulement des jours.

« Sept ans ! nous l'avons condamné à passer ici sept ans, pour ensuite l'envoyer brûler. Et moi qui ne suis emprisonné que depuis une semaine, je comprends déjà tout ce qu'il a souffert. »

Le personnage d'Etat, des hauteurs où s'exerce son pouvoir, protégé par tout l'appareil des tribunaux, de la police et des armées, ne voit pas l'homme dans le condamné qu'il livre à la prison ou à la mort ; il réduit une opposition. Marigny se souvenait du malaise qu'il avait éprouvé tandis que les Templiers grillaient sur l'île aux Juifs, en comprenant qu'il ne s'agissait plus alors d'abstraites puissances hostiles, mais d'êtres de chair, de semblables. Un bref moment, cette nuit-là, et se reprochant ce mouvement d'âme comme une faiblesse, il s'était senti solidaire des suppliciés. Il se retrouvait tel, au fond de son cachot. « Vraiment, nous avons tous été maudits pour ce que nous avons fait là. »

Et puis, une nouvelle fois, Marigny avait été conduit à Vincennes, et pour y assister au plus sinistre, au plus abject étalage de haine et de bassesse. Comme si toutes les accusations portées contre lui ne suffisaient pas, comme s'il fallait à tout prix anéantir les doutes dans les consciences du royaume, on se complut à le charger de crimes extravagants, certifiés par un stupéfiant défilé de faux témoins.

Mgr de Valois se faisait gloire d'avoir découvert un vaste complot de sorcellerie, inspiré bien sûr par Enguerrand. Mme de Marigny et sa sœur, Mme de Chanteloup, avaient pratiqué des envoûtements criminels sur des poupées de cire figurant le roi, le comte de Valois lui-même et le comte de Saint-Pol. Ce fut, du moins, ce qu'affirmèrent des individus sortis de la rue des Bourdonnais où ils tenaient officines de magie avec la tolérance de la police. On traîna devant le tribunal royal une boiteuse, d'évidence créature du diable, et un certain Paviot, récemment condamnés dans une affaire similaire. Ils ne firent aucune difficulté pour se déclarer complices de Mme de Marigny, mais montrèrent un étonnement douloureux quand leur fut confirmée la sentence qui les envoyait au bûcher. Les faux témoins eux-mêmes, dans ce procès, étaient trompés !

Enfin, l'on annonça le trépas de Marguerite de Bourgogne, et, dans le grand émoi causé par cette nouvelle, on donna lecture de la lettre que la reine, la veille de mourir, avait adressée à son époux.

« On l'a tuée ! » s'écria Marigny pour qui toute la machination alors s'éclaira.

Mais les sergents qui l'encadraient l'avaient obligé à se taire, cependant que Jean d'Asnières ajoutait ce nouvel élément à son réquisitoire.

En vain, les jours précédents, le roi d'Angleterre

était-il de nouveau intervenu par message auprès de son beau-frère de France, l'adjurant d'épargner Enguerrand. En vain Louis de Marigny s'était-il jeté aux pieds du Hutin, son parrain, le suppliant d'accorder grâce et justice. Louis X, dès qu'on prononçait le nom de Marigny, ne répondait que par ce seul mot :

« J'ai levé ma main de dessus lui. »

Il le répéta publiquement une dernière fois à Vincennes.

Enguerrand s'était alors entendu condamner à la pendaison, tandis que sa femme serait emprisonnée et tous leurs biens confisqués.

Mais Valois continuait de s'agiter ; il ne connaîtrait pas de répit aussi longtemps qu'il n'aurait pas vu Enguerrand se balancer au bout d'une corde. Et pour brouiller toute tentative éventuelle d'évasion, il avait assigné à son ennemi une troisième prison, celle du Châtelet.

C'était donc d'un cachot du Châtelet que Marigny, dans la nuit du 30 avril 1315, contemplait le ciel à travers un soupirail.

Il n'avait pas peur de la mort ; du moins s'entraînait-il à l'acceptation de l'inévitable. Mais l'idée de la malédiction obsédait sa pensée ; car l'iniquité était si totale qu'il lui fallait y voir, à travers et par-dessus la subite rage des hommes, le signe manifesté d'une plus haute volonté. « Etait-ce la colère divine, vraiment, qui s'exprimait par la bouche du grand-maître ? Pourquoi avons-nous tous été maudits, et ceux même qui n'étaient pas nommés, simplement d'avoir été présents ? Pourtant, nous n'avions agi que pour le bien du royaume, la grandeur de l'Eglise et la pureté de la Foi.

Qu'est-ce donc qui a provoqué cet acharnement du Ciel contre chacun de nous ? »

Alors que quelques heures seulement le séparaient de son propre supplice, il revenait en esprit sur les étapes du procès des Templiers, comme si c'eût été là, plus qu'en aucune autre de ses actions publiques ou privées, que se cachait l'ultime explication qu'il lui fallait découvrir avant de mourir. Et à remonter lentement les marches de sa mémoire, avec application ainsi qu'il en avait mis toujours à toutes choses, il parvint à une sorte de seuil où soudain la lumière se fit et où il comprit tout.

La malédiction ne venait pas de Dieu. Elle venait de lui-même et ne prenait origine que dans ses propres actes. Et ceci était également vrai pour tous les hommes et pour tous les châtiments.

« Les Templiers ne montraient plus guère d'attachement à leur règle ; ils s'étaient détournés du service de la Chrétienté pour ne s'occuper plus que du commerce de l'argent ; les vices se glissaient dans leurs rangs et pourrissaient leur grandeur ; par cela ils portaient en eux leur malédiction, et il y avait justice à supprimer l'Ordre. Mais pour en finir avec les Templiers, j'ai fait nommer archevêque mon frère, homme ambitieux et lâche, afin qu'il les condamnât pour de faux crimes ; il n'est donc point surprenant que mon frère se soit assis au tribunal qui, pour de faux crimes, m'a condamné. Je ne dois pas lui reprocher sa trahison ; j'en suis le fauteur... Parce que Nogaret avait torturé trop d'innocents pour en extraire les aveux qu'il croyait nécessaires au bien public, ses ennemis ont fini par l'empoisonner... Parce que Marguerite de Bourgogne avait été mariée par politique à un prince qu'elle n'aimait pas, elle a trahi le mariage ; parce qu'elle a trahi, elle a été découverte et emprisonnée. Parce que j'ai brûlé sa lettre qui aurait pu libérer le roi Louis, j'ai perdu Marguerite et je me suis perdu en même temps... Parce que Louis l'a fait assassiner en me chargeant du crime, que lui arrivera-t-il ? Qu'arrivera-t-il à Charles de Valois qui ce matin va me faire pendre pour des fautes qu'il m'invente ? Qu'arrivera-t-il à Clémence de Hongrie si elle accepte, pour être reine de France, d'épouser un meurtrier ?... Même lorsque nous sommes punis pour de faux motifs, il y a toujours une cause véritable à notre punition. Tout acte injuste, même commis pour une juste cause, porte en soi sa malédiction. »

Et quand il eut découvert cela, Enguerrand de Marigny cessa de haïr quiconque et de tenir autrui pour responsable de son sort. C'était son acte de contrition qu'il avait prononcé, mais autrement efficace que par le moyen de prières apprises. Il se sentait en grande paix, et comme d'accord avec Dieu pour accepter que le destin s'achevât de cette façon.

Il demeura fort calme jusqu'à l'aube, et n'eut pas l'impression de redescendre du seuil lumineux où sa méditation venait de le placer.

Vers l'heure de prime, il entendit quelque tumulte par-delà les murailles. Quand il vit entrer le prévôt de Paris, le lieutenant criminel et le procureur, il se mit debout lentement et attendit qu'on lui ôtât ses fers. Il prit le manteau d'écarlate qu'il portait le jour de son arrestation et s'en couvrit les épaules. Il éprouvait une étrange sensation de force, et se répétait constamment cette vérité qui lui était apparue : « Tout acte injuste, même commis pour une cause juste... »

« Où me conduit-on ? demanda-t-il.

— A Montfaucon, messire.

— C'est fort bien ainsi. J'ai fait reconstruire ce gibet. Je finirai donc dans mes œuvres. »

Il sortit du Châtelet dans une charrette à quatre chevaux, précédée, suivie, encadrée de plusieurs compagnies d'archers et de sergents du guet. « Quand je commandais au royaume, je ne prenais que trois sergents pour m'escorter. Et j'en ai trois centaines pour me mener mourir... »

Aux hurlements de la foule, Marigny, debout dans la charrette, répondait :

« Bonnes gens, priez Dieu pour moi. »

Le cortège fit halte au bout de la rue Saint-Denis, devant le couvent des Filles-Dieu. On invita Marigny à descendre, et on l'amena dans la cour, au pied d'un crucifix de bois placé sous un dais. « C'est vrai, c'est ainsi que cela se passe, se dit-il, mais je n'y avais jamais assisté. Et pourtant combien d'hommes ai-je envoyés au gibet... J'ai connu seize années de fortune pour me payer du bien que j'ai pu faire, seize journées de malheur et un matin de mort pour me punir du mal... Dieu m'est miséricordieux. »

Sous le crucifix, l'aumônier du couvent récita, devant Marigny agenouillé, la prière des morts. Puis les religieuses apportèrent au condamné un verre de vin, et trois morceaux de pain qu'il mâcha lentement, appréciant une dernière fois le goût des nourritures de ce monde. Dans la rue, les Parisiens continuaient de hurler. « Le pain qu'ils mangeront tout à l'heure leur semblera moins bon que celui qu'on vient de me donner », pensa Marigny en remontant en charrette.

Le convoi franchit les murs de la ville. Après un quart de lieue, et une fois les faubourgs traversés, apparut, dressé sur une butte, le gibet de Mont-faucon.

Rebâti dans les années récentes, sur l'emplacement du vieux gibet qui datait de saint Louis, Montfaucon se présentait comme une grande halle inachevée, sans toit. Seize piliers de maçonnerie, debout contre le ciel, s'élevaient d'une vaste plateforme carrée qui elle-même prenait assise sur de gros blocs de pierre brute. Au centre de la plateforme s'ouvrait une large fosse qui servait de charnier ; et les potences s'alignaient le long de cette fosse. Les piliers de maçonnerie étaient réunis par de doubles poutres et par des chaînes de fer où l'on accrochait les corps après l'exécution ; on les y laissait pourrir au vent et aux corbeaux, pour servir d'exemple et inspirer le respect de la justice royale.

Ce jour-là, une dizaine de corps se trouvaient suspendus, les uns nus, les autres habillés jusqu'à la ceinture et les reins seulement ceints d'un lambeau de toile, selon que les bourreaux avaient eu droit à tout ou partie des vêtements. Certains de ces cadavres étaient presque déjà à l'état de squelettes ; d'autres commençaient de se décomposer, la face verte ou noire, avec d'affreuses liqueurs suintant des oreilles et de la bouche, et des lambeaux de chair, arrachés par le bec des oiseaux, rabattus sur les étoffes. Une odeur horrible se répandait à l'entour.

Une foule tôt levée, nombreuse, était venue assister au supplice ; les archers formaient cordon pour en contenir les remous.

Lorsque Marigny descendit de la charrette, un prêtre s'approcha et le convia à faire l'aveu des fautes pour lesquelles il était condamné.

« Non, mon père », dit Marigny.

Il nia avoir voulu envoûter Louis X ou aucun prince royal, nia avoir volé dans le Trésor, nia tous les chefs d'accusation qu'on avait portés contre lui, et réaffirma que les actions qu'on lui reprochait avaient toutes été commandées ou approuvées par le feu roi son maître.

« Mais j'ai accompli pour de justes causes des actes injustes, et de cela je me repens. »

Précédé du maître-bourreau, il gravit la rampe de pierre par laquelle on accédait à la plate-forme et, avec cette autorité qu'il avait toujours eue, il demanda en désignant les potences :

« Laquelle ? »

Comme du haut d'une estrade, il jeta un dernier regard sur la multitude hurlante. Il refusa d'avoir les mains liées.

« Qu'on ne me maintienne point. »

Il releva lui-même ses cheveux, et avança sa tête de taureau dans le nœud coulant qu'on lui présentait. Il prit un grand souffle, pour garder le plus longtemps possible la vie dans ses poumons, serra les poings ; la corde, par six bras tirée, l'éleva à deux toises du sol.

La foule, qui pourtant n'attendait que cela, poussa une immense clameur d'étonnement. Durant plusieurs minutes elle vit Marigny se tordre, les yeux exorbités, la face devenant bleue, puis

violette, la langue sortie, et les bras et les jambes
s'agitant comme pour grimper le long d'un mât
invisible. Enfin, les bras retombèrent, les convul-
sions diminuèrent d'amplitude, s'arrêtèrent, et les
yeux n'eurent plus de regard.

Et la foule, toujours surprenante parce que toujours surprise, se tut.

Valois avait ordonné que le condamné restât entièrement habillé afin de demeurer mieux recon-
naissable. Les bourreaux descendirent le corps, le
tirèrent par les pieds à travers la plate-forme ;
puis, dressant leurs échelles sur le devant du gibet,
du côté de Paris, ils suspendirent aux chaînes,
pour l'y laisser pourrir entre les charognes de
malfaiteurs inconnus, l'un des plus grands ministres que la France ait jamais eus [11].

VII

LA STATUE ABATTUE

Dans l'obscurité de Montfaucon où les chaînes grinçaient, des voleurs, la nuit suivante, dépendirent le mort illustre pour le dépouiller ; au matin, on trouva le corps de Marigny couché nu sur la pierre.

Mgr de Valois, qui était encore au lit quand on l'en vint avertir, commanda de rhabiller le cadavre et de le rependre. Puis lui-même se vêtit et, bien vivant, mieux vivant que jamais, tout gonflé de sa force intacte, il partit se mêler au mouvement de la ville, au trafic des hommes, à la puissance des rois.

En compagnie du chanoine de Mornay, son ancien chancelier, qu'il avait fait nommer garde des Sceaux de France, il gagna le palais de la Cité.

Dans la Galerie mercière, marchands et badauds observaient quatre ouvriers maçons, perchés sur un échafaudage, et qui descellaient la grande statue d'Enguerrand de Marigny. Elle tenait à la muraille, non seulement par le socle, mais par le dos. Les pics et les burins frappaient la pierre qui volait en éclats blancs.

Une fenêtre intérieure, qui donnait vue sur l'ensemble de la Galerie, s'ouvrit ; Valois et le chancelier apparurent à la balustrade. Les badauds, apercevant leurs nouveaux maîtres, ôtèrent leurs bonnets.

« Continuez, bonnes gens, continuez à regarder ; c'est bon travail que l'on fait là », lança Valois en adressant à la petite foule un geste engageant.

Puis, se tournant vers Mornay, il lui demanda :

« Avez-vous achevé l'inventaire des biens de Marigny ?

— J'ai achevé, Monseigneur, et le compte en est assez gras.

— Je n'en doute point, dit Valois. Ainsi, le roi va se trouver en fonds pour récompenser ceux qui l'ont servi en cette affaire, dit Valois. Tout d'abord, j'exige retour de ma terre de Gaillefontaine que le coquin m'avait prise par duperie dans un mauvais échange. Cela n'est point récompense ; c'est justice. D'autre part, il conviendrait que mon fils Philippe disposât enfin d'un hôtel en propre et qu'il eût son train personnel. Marigny possédait deux maisons, celle des Fossés-Saint-Germain et celle de la rue d'Autriche. J'incline pour la seconde... Je sais aussi que le roi veut faire quelque libéralité à Henriet de Meudon, son veneur, qui lui ouvre ses paniers à colombes ; notez donc ce désir. Ah ! Surtout n'oubliez pas que Mgr d'Artois attend depuis cinq ans les revenus de son comté de Beaumont. C'est l'occasion de lui en remettre une part. Le roi a de grandes dettes envers notre cousin d'Artois.

— Le roi va devoir aussi, dit le chancelier, offrir à sa nouvelle épouse les présents d'usage, et il semble décidé, dans l'amour qu'il a, aux plus grandes largesses. Or, sa cassette n'est guère en état d'y subvenir. Ne pourrait-on prendre sur les biens de Marigny les faveurs qui seront attribuées à notre nouvelle reine ?

— C'est sagement pensé, Mornay. Préparez un partage en ce sens, où vous placerez ma nièce de Hongrie en tête des bénéficiaires ; le roi ne pourra qu'y souscrire. »

Valois, tout en parlant, continuait de regarder le travail des maçons.

« Bien sûr, Monseigneur, reprit le chancelier, je me garderai de rien demander pour moi-même...

— Et en cela, vous agirez bien, Mornay, car de méchants esprits auraient beau jeu de dire qu'en poursuivant Marigny, vous ne cherchiez que votre profit. Faites donc grossir un peu ma part, afin que je vous puisse gratifier à proportion de vos mérites... Ah ! elle a bougé ! » ajouta Valois en pointant le doigt vers la statue.

La grande effigie de Marigny était maintenant complètement décollée du mur ; on l'entourait de cordes. Valois posa sa main baguée sur le bras du chancelier.

« L'homme en vérité est créature étrange, dit-il. Savez-vous que soudain j'éprouve comme un vide de l'âme ? J'avais si fort accoutumé de haïr ce méchant qu'il me semble à présent qu'il va me manquer... »

A l'intérieur du Palais, Louis X, dans le même moment, achevait de se faire raser. Auprès de lui se trouvait dame Eudeline, rose et fraîche, tenant par la main une enfant de dix ans, blonde, un peu maigre, intimidée, et qui ne savait pas que ce roi, dont on séchait le menton à l'aide de toiles chaudes, était son père.

La première lingère du Palais attendait, émue, pleine d'espoir, d'apprendre la raison pour laquelle Louis les avait mandées, elle et sa fille.

Le barbier sortit, emportant bassin, rasoirs et onguents.

Le roi de France se leva, secoua ses longs cheveux autour de son col et dit :

« Mon peuple est content, n'est-il pas vrai, Eudeline, que j'aie fait pendre Marigny ?

— Certes, Monseigneur Louis... Sire, je veux dire. Chacun se plaît à croire que les temps du malheur sont finis...

— C'est bien, c'est bien. Je veux qu'il en soit ainsi. »

Louis X traversa la chambre, se pencha sur un miroir, étudia son visage quelques instants, se retourna.

« Je t'avais promis d'assurer l'établissement de cette enfant... Elle s'appelle Eudeline, comme toi... »

Des larmes d'émotion vinrent aux yeux de la lingère ; et elle pressa légèrement l'épaule de sa fille. Eudeline la petite s'agenouilla pour entendre, de la bouche souveraine, l'annonce des bienfaits.

« Sire, cette enfant vous bénira jusqu'à son dernier jour en ses prières...

— C'est justement ce que j'ai décidé, répondit

le Hutin. Qu'elle prie. Elle entrera en religion, au couvent de Saint-Marcel qui est réservé aux filles nobles, et où elle sera mieux que nulle part. »

La stupeur parut sur les traits d'Eudeline la mère.

« Est-ce donc cela, Sire, que vous voulez pour elle ? La cloîtrer ?

— Eh quoi ? N'est-ce pas un bon établissement ? dit Louis. Et puis il faut que cela soit ; elle ne saurait rester dans le monde. Et je trouve bon pour notre salut et pour le sien qu'elle rachète par une vie de piété la faute que nous avons commise en sa naissance. Quant à toi...

— Monseigneur Louis, m'enfermerez-vous aussi au cloître ? » demanda Eudeline avec effroi.

Comme le Hutin avait changé, en peu de temps ! Elle ne retrouvait plus rien, en ce roi qui dictait ses ordres d'un ton sans réplique, ni de l'adolescent inquiet auquel elle avait appris l'amour ni du pauvre prince, grelottant d'angoisse, d'impuissance et de froid, qu'elle avait encore réchauffé dans ses bras un soir de l'hiver passé. Les yeux seuls gardaient leur expression fuyante.

« Pour toi, dit-il, je vais te donner charge de surveiller à Vincennes le meuble et le linge, pour que tout soit prêt chaque fois que j'y viendrai. »

Eudeline hocha la tête. Cet éloignement du Palais, cet envoi dans une résidence secondaire, elle les ressentait comme une offense. N'était-on pas satisfait de la façon dont elle tenait son office ? En un sens, elle eût mieux accepté le couvent ; son orgueil eût été moins blessé.

« Je suis votre servante et vous obéirai », répondit-elle froidement.

Elle invita Eudeline la petite à se relever et lui reprit la main.

Au moment de franchir la porte, elle aperçut le portrait de Clémence de Hongrie posé sur une crédence, et demanda :

« C'est elle ?

— C'est la prochaine reine de France, répondit Louis X non sans hauteur.

— Soyez donc heureux, Sire », dit Eudeline en sortant.

Elle avait cessé de l'aimer.

« Certes, certes, je vais être heureux », se répétait Louis, marchant à travers la chambre où le soleil entrait à grands rayons.

Pour la première fois depuis son avènement, il se sentait pleinement satisfait et sûr de soi. Il s'était délivré de son épouse infidèle, délivré du trop puissant ministre de son père ; il éloignait du Palais sa première maîtresse et envoyait sa fille naturelle au couvent [12].

Tous les chemins nettoyés, il pouvait maintenant accueillir la belle princesse napolitaine, et se voyait déjà vivre auprès d'elle un long règne de gloire.

Il sonna le chambellan de service.

« J'ai fait mander messire de Bouville. Est-il arrivé ?

— Oui, Sire ; il attend vos ordres. »

À ce moment les murs du Palais vibrèrent sous un choc sourd.

« Qu'est ceci ? demanda le roi.

— La statue, je pense, Sire, qui vient de tomber.

— C'est bien... Dites à Bouville d'entrer. »

Et il se disposa à recevoir l'ancien grand chambellan.

Dans la Galerie mercière, la statue d'Enguerrand gisait sur le pavement. Les cordes avaient glissé un peu vite, et les vingt quintaux de pierre avaient brutalement heurté le sol. Les pieds étaient rompus.

Au premier rang des badauds, Spinello Tolomei et son neveu Guccio Baglioni contemplaient le colosse abattu.

« J'aurai vu cela, j'aurai vu cela... », murmurait le capitaine des Lombards.

Il n'affichait pas, comme Mgr de Valois du haut de la fenêtre à balustrade, un triomphe ostentatoire ; mais sa joie non plus ne se teintait pas de mélancolie. Il éprouvait une bonne satisfaction bien simple et sans mélange. Tant de fois, sous le gouvernement de Marigny, les banquiers italiens avaient tremblé pour leurs biens et même pour leur peau ! Messer Tolomei, un œil ouvert, l'autre fermé, respirait l'air de la délivrance.

« Cet homme-là vraiment n'était pas notre ami, dit-il. Les barons se font gloire de sa chute ; mais nous avons pris bonne part à ce travail. Et toi-même, Guccio, tu m'y as bien aidé. Je tiens à t'en récompenser, et à t'associer mieux à nos affaires. As-tu quelque souhait ? »

Ils s'étaient mis à marcher entre les éventaires des merciers. Guccio abaissa son nez mince et ses cils noirs.

« Oncle Spinello, je voudrais gérer le comptoir de Neauphle.

— Eh quoi ! s'écria Tolomei tout surpris. Est-ce là ton ambition ? Un comptoir de campagne, qui fonctionne avec trois commis bien suffisants pour leur tâche ? Tu as de petits rêves !

— J'aime assez ce comptoir, dit Guccio, et je suis sûr qu'on pourrait fort l'agrandir.

— Et je suis bien sûr, moi, répondit Tolomei, que c'est l'amour plutôt que la banque qui t'attire de ce côté... La demoiselle de Cressay, n'est-ce pas ? J'ai vu les comptes. Non seulement ces gens-là sont nos débiteurs, mais en plus nous les nourrissons. »

Guccio regarda Tolomei et vit qu'il souriait.

« Elle est belle comme aucune, mon oncle, et de bonne noblesse.

— Ah ! soupira le banquier en élevant les mains. Une fille de noblesse ! Tu vas te mettre dans de gros ennuis. La noblesse, tu sais, est toujours prête à nous prendre de l'argent, mais guère à laisser son sang se mêler au nôtre. La famille est-elle d'accord ?

— Elle le sera, mon oncle, je suis certain qu'elle le sera. Les frères me traitent comme un des leurs. »

Traînée par deux chevaux de trait, la statue de Marigny sortait de la Galerie mercière. Les maçons enroulaient leurs cordes et la foule se dispersait.

« Marie m'aime autant que je l'aime, reprit Guccio, et vouloir nous faire vivre l'un sans l'autre, c'est vouloir nous faire mourir ! Avec les gains nouveaux que je tirerai de Neauphle, je pourrai réparer le manoir, qui est beau, je vous assure, mais qui mérite un peu de travail, et vous viendrez vivre dans un château, mon oncle, comme un vrai seigneur.

— Moi, tu sais, je n'aime pas la campagne, dit Tolomei. S'il m'arrive une fois l'an d'avoir affaire à Grenelle ou à Vaugirard, je m'y sens au bout du monde et vieux de cent ans... J'avais rêvé pour toi une autre alliance, avec une fille de nos cousins Bardi... »

Il s'interrompit un instant.

« Mais c'est mal aimer ceux qu'on aime que de vouloir faire leur bonheur malgré eux. Va, mon garçon, va t'occuper de Neauphle. Et marie-toi comme il te plaît. Les Siennois sont des hommes libres, et l'on doit choisir son épouse selon son cœur. Mais amène ta belle à Paris le plus tôt que tu pourras. Elle sera bien accueillie sous mon toit.

— Merci, oncle Spinello ! » dit Guccio en se jetant à son cou.

Le comte de Bouville, sortant de chez le roi, traversait alors la Galerie mercière. Le gros homme avançait de ce pas ferme qu'il prenait lorsque le souverain lui avait fait l'honneur de lui donner un ordre.

« Ah ! ami Guccio ! s'écria-t-il en apercevant les deux Italiens. C'est chance que de vous rencontrer ici. J'allais dépêcher un écuyer à vous quérir.

— Que puis-je pour vous servir, messire Hugues ? dit le jeune homme. Mon oncle et moi sommes tout à vous. »

Bouville souriait à Guccio avec une réelle expression d'amitié.

« Je vous apprends une bonne nouvelle ; oui,

une très bonne nouvelle. J'ai dit au roi vos mérites et combien vous m'étiez utile... »

Le jeune homme s'inclina, en signe de remerciement.

« Alors, ami Guccio, nous repartons pour Naples. »

NOTES HISTORIQUES
ET
RÉPERTOIRE BIOGRAPHIQUE

NOTES HISTORIQUES

1. — Au début du XIVᵉ siècle, les trois premiers officiers de la couronne étaient : le *connétable de France*, chef suprême des armées ; le *chancelier de France* qui administrait la justice, les affaires ecclésiastiques et les affaires étrangères ; le *souverain maître de l'hôtel* de la maison du roi.

Le *connétable* siégeait de droit au Conseil étroit ; il avait sa chambre à la Cour et devait suivre le roi dans tous ses déplacements. Il recevait en temps de paix, en dehors des prestations en nature, 25 sous parisis par jour et 10 livres à chaque fête. En période d'hostilités ou simplement pendant les déplacements du roi, ce traitement était doublé. En outre, pour chaque jour de combat où le roi chevauchait avec l'armée, le connétable recevait 100 livres supplémentaires.

Tout ce qui se trouvait dans les forteresses ou châteaux pris à l'ennemi appartenait au connétable, à l'exception de l'or et des prisonniers qui étaient au roi. Parmi les chevaux enlevés à l'adversaire, il choisissait aussitôt après le roi. Si ce dernier n'était pas présent lors de la prise d'une forteresse, c'était la bannière du connétable que l'on hissait. Sur le champ de bataille, le roi lui-même ne pouvait décider de charger ni d'attaquer sans avoir pris conseil et ordres du connétable. Celui-ci encore assistait obligatoirement au sacre où il portait l'épée devant le roi.

Sous les règnes de Philippe le Bel et de ses trois fils, ainsi que pendant la première année du règne de Philippe VI de Valois, le connétable de France fut Gaucher de Châtillon, comte de Porcien, qui devait mourir octogénaire en 1329.

Le *chancelier de France*, assisté d'un vice-chancelier et de notaires qui étaient des clercs de la chapelle royale, avait charge de préparer la rédaction des actes et d'y apposer le sceau royal dont il était gardien, d'où son titre également de garde des Sceaux. Il siégeait au Conseil étroit et à l'Assemblée des pairs. Il était le chef de la magistrature, présidait toutes les commissions judiciaires et portait la parole au nom du roi dans les lits de justice.

Le chancelier, par tradition, était un ecclésiastique. Lorsque, en 1307, Philippe le Bel destitua son chancelier, l'évêque de Narbonne, et remit les sceaux à Guillaume de Nogaret, celui-ci, n'étant pas homme d'Eglise, ne reçut pas le titre de chancelier mais celui créé à son intention de « secrétaire général du royaume », tandis que Marigny était fait « coadjuteur et recteur général du royaume ».

Le chancelier de Louis X fut, dès le commencement de l'année 1315, Etienne de Mornay, chanoine d'Auxerre et de Soissons, précédemment chancelier du comte de Valois.

Le *souverain maître de l'hôtel*, appelé plus tard *grand maître de France*, commandait à tout le personnel noble et roturier au service du souverain ; il avait sous ses ordres l'*argentier*, qui tenait les comptes de la maison royale et l'inventaire du mobilier, des étoffes et de la garde-robe. Il siégeait au Conseil.

Venaient ensuite, parmi les grands officiers de la

couronne : le *grand maître des arbalétriers,* qui dépendait du connétable, et le *grand chambellan.*

Le *grand chambellan* avait soin des armes et vêtements du roi ; il devait se tenir auprès de lui tant de jour que de nuit « quand la reine n'y était pas ». Il avait la garde du sceau secret, pouvait recevoir les hommages au nom du roi et faire prêter serment de fidélité. Il organisait les cérémonies où le roi armait de nouveaux chevaliers, administrait la cassette privée, assistait à l'assemblée des pairs. Parce qu'il était chargé de la garde-robe royale, il avait juridiction sur les merciers et tous les métiers du vêtement, et commandait au fonctionnaire nommé « roi des merciers » qui vérifiait les poids et mesures, balances et aunages.

D'autres charges enfin, survivance de fonctions tombées en désuétude, n'étaient plus qu'honorifiques mais donnaient toutefois accès au Conseil du roi ; telles étaient les charges de *grand chambrier, grand bouteiller* et *grand panetier,* tenues respectivement à l'époque qui nous occupe par Louis Ier de Bourbon, le comte de Châtillon Saint-Pol, et Bouchard de Montmorency.

2. — Philippe le Bel avait légué son cœur, ainsi que la grande croix d'or des Templiers, au monastère des dominicains de Poissy. Cœur et croix disparurent, la nuit du 21 juillet 1695, dans un incendie provoqué par la foudre.

3. — Il était habituel au Moyen Age de garder une lampe allumée la nuit au-dessus du lit. Cette pratique était destinée à écarter les mauvais esprits.

4. — Les lettres patentes conférant l'apanage de la Marche à Charles de France et la pairie à Philippe de Poitiers furent respectivement délivrées en mars et août 1315.

5. — La maison d'Anjou-Sicile est si liée à l'histoire de la monarchie française au XIVᵉ siècle, et interviendra si souvent au cours de ce récit, qu'il nous semble nécessaire de rappeler au lecteur certaines précisions concernant cette famille.

En 1246, Charles, comte apanagiste de Valois et du Maine, fils de Louis VIII et septième frère de saint Louis, avait épousé la comtesse Béatrix qui lui apportait, selon l'expression de Dante : « la grande dot de Provence. » Choisi par le Saint-Siège comme champion de l'Eglise en Italie, il fut couronné roi de Sicile à Saint-Jean de Latran, en 1265.

Telle fut l'origine de cette branche de la famille capétienne connue sous le nom d'Anjou-Sicile, et dont les possessions et les alliances s'étendirent rapidement sur l'Europe.

Le fils de Charles Iᵉʳ d'Anjou, Charles II dit le Boiteux (1250-1309), roi de Naples, de Sicile et de Jérusalem, duc des Pouilles, prince de Salerne, de Capoue et de Tarente, épousa Marie, sœur et héritière du roi Ladislas IV de Hongrie. De cette union naquirent :

— Marguerite, première épouse de Charles de Valois, frère de Philippe le Bel ;
— Charles-Martel, roi titulaire de Hongrie ;
— Louis d'Anjou, évêque de Toulouse ;
— Robert, roi de Naples ;
— Philippe, prince de Tarente ;
— Raymond Bérenger, comte d'Andria ;
— Jean Tristan, entré dans les ordres ;
— Jean, duc de Durazzo ;
-- Pierre, comte d'Eboli et de Gravina ;
— Marie, épouse de Sanche d'Aragon, roi de Majorque ;
— Blanche, épouse de Jacques II d'Aragon ;
— Béatrice, mariée d'abord au marquis d'Este, puis au comte Bertrand des Baux ;
— Eléonore, épouse de Frédéric d'Aragon.

L'aîné des fils de Charles le Boiteux, Charles-Martel, marié à Clémence de Habsbourg, et pour lequel la reine Marie réclamait l'héritage de Hongrie, mourut en 1296. Il laissait un fils, Charles-Robert dit Carobert, qui après quinze ans de lutte ceignit la couronne de Hongrie, et deux filles dont l'une, Béatrice, épousa le dauphin de Viennois, Jean II, et l'autre, Clémence, devait devenir la seconde épouse de Louis X Hutin.

Le second fils de Charles le Boiteux, Louis d'Anjou, renonça à tous ses droits successoraux pour entrer en religion. Evêque de Toulouse, il mourut au château de Brignoles en Provence à l'âge de vingt-trois ans. Il devait être canonisé en 1317 sous le pontificat de Jean XXII.

A la mort de Charles le Boiteux, en 1309, la couronne de Naples revint au troisième fils, Robert.

Le quatrième fils, Philippe, prince de Tarente, devint empereur titulaire de Constantinople par son mariage avec Catherine de Valois-Courtenay, fille du second mariage de Charles de Valois.

Dynastie fabuleusement féconde et active, la famille d'Anjou-Sicile totaliserait, dans sa durée, 299 couronnes souveraines et 12 béatifications.

6. — Le mariage de Philippe de Valois avec Jeanne de Bourgogne, sœur de Marguerite et dite Jeanne la Boiteuse, avait été célébré en 1313.

7. — Rien n'est plus malaisé à établir ni n'offre plus matière à débat que les comparaisons de valeur de la monnaie à travers les siècles. Tant de variations, dévaluations et mesures gouvernementales diverses ont affecté les cours que les spécialistes ne parviennent jamais à se mettre d'accord.

On ne peut guère fonder les équivalences sur le prix des denrées, même essentielles, car ces prix variaient considérablement et parfois d'une année à l'autre selon le degré d'abondance ou de rareté des produits, et aussi selon les taxes que l'Etat leur faisait supporter. Les périodes de disette étaient fréquentes et les prix cités par les chroniqueurs sont souvent des prix de « marché noir », ce qui fausse toute appréciation du pouvoir d'achat. En outre, certaines denrées d'usage courant aujourd'hui étaient peu répandues au Moyen Age et donc de prix élevé. En revanche, et en raison du faible coût de la main-d'œuvre artisanale, les produits manufacturés étaient relativement à bas prix.

La valeur comparative de l'or au poids pourrait paraître la meilleure base d'estimation ; encore nous assure-t-on que l'or est, de nos jours, maintenu artificiellement à un taux très supérieur à sa valeur réelle. Nous avons déjà quelque difficulté à faire des calculs d'équivalence avec le franc de 1914. Comment pourrions-nous prétendre à des évaluations exactes pour la livre de 1314 ?

Après comparaison de divers travaux spécialisés, nous proposons au lecteur pour commodité, et sans lui laisser ignorer que la marge d'erreur peut être comprise entre la moitié et le double, une équivalence de 100 francs d'aujourd'hui pour une livre au début du xive siècle. Les dépenses du royaume, au temps de Philippe le Bel, sauf dans les années de guerre, s'élevaient en moyenne à 500 000 livres, ce qui *grosso modo* représenterait un budget de 50 millions, ou 5 milliards d'anciens francs.

Nos anciens et nos nouveaux francs préparent d'ailleurs de sérieux pièges aux historiens futurs.

8. — Le jugement de 1309 qui prétendait régler la succession d'Artois (voir notre note p. 360 du *Roi de fer*) n'avait accordé à Robert, sur l'héritage de ses grands-parents, que la châtellenie de Conches,

écart normand apporté aux d'Artois par Amicie de Courtenay, femme de Robert II.

En compensation, Mahaut était tenue de verser à Robert, dans un délai de deux ans, une indemnité de 24 000 livres ; d'autre part, un revenu de 5 000 livres était assuré à Robert sur diverses terres du domaine royal qui, réunies à la châtellenie de Conches, constitueraient le comté de Beaumont-le-Roger.

La formation du comté fut retardée pendant plusieurs années durant lesquelles Robert ne toucha qu'une infime partie de ses revenus. Il ne devait devenir réellement comte de Beaumont qu'à partir de 1319. Le reliquat des sommes qui lui étaient dues ne lui fut versé que sous Philippe V, en 1321, et sous Philippe VI, en 1329, le comté fut érigé en pairie.

9. — Le culte des reliques fut un des aspects les plus marquants et les plus étonnants de la vie religieuse au Moyen Age. La croyance en la vertu des vestiges sacrés dégénéra en une superstition universellement répandue, chacun voulant posséder de grandes reliques pour les garder chez soi, et de petites pour les porter au cou. On avait des reliques à la mesure de sa fortune. La vente des reliques devint un véritable commerce, et l'un des plus prospères à travers les XIe, XIIe, XIIIe siècles, et même encore pendant le XIVe. Tout le monde en trafiquait. Les abbés, pour augmenter les revenus de leurs couvents ou s'attirer les faveurs de grands personnages, cédaient des fragments des saints ossements dont ils avaient la garde. Les croisés souvent s'enrichirent de la vente de pieux débris rapportés de leurs expéditions. Les marchands juifs avaient une sorte de réseau international de vente de reliques. Et les orfèvres encourageaient fort ce négoce car on leur commandait châsses et reliquaires qui étaient les plus beaux

objets du temps et qui témoignaient autant de la
fortune que de la piété de leurs possesseurs.

Les reliques les plus prisées étaient les morceaux
de la Sainte Croix, les fragments du bois de la
Crèche, les épines de la Sainte Couronne (encore que
saint Louis eût acheté pour la Sainte-Chapelle une
Sainte Couronne prétendument intacte), les flèches
de saint Sébastien, et beaucoup de pierres aussi,
pierres du Calvaire, du Saint Sépulcre, du mont des
Oliviers. On alla même jusqu'à vendre des gouttes
du lait de la Vierge.

Lorsqu'un personnage contemporain venait à être
canonisé, on s'empressait de débiter sa dépouille.
Plusieurs membres de la famille royale possédaient,
ou étaient convaincus de posséder des fragments de
saint Louis. En 1319, le roi Robert de Naples, assis-
tant à Marseille au transfert des restes de son frère
Louis d'Anjou, récemment canonisé, demanda la tête
du saint pour l'emporter à Naples.

10. — Ce n'était pas encore le fameux « Palais
des papes » que l'on connaît et visite, et qui ne
fut bâti qu'au siècle suivant. La première résidence
des papes avignonnais était le palais épiscopal un
peu agrandi.

11. — Le gibet de Montfaucon se trouvait sur une
butte isolée, à gauche de l'ancienne route de Meaux,
environ l'actuelle rue de la Grange-aux-Belles.

Enguerrand de Marigny fut le second d'une longue
liste de ministres, et particulièrement de ministres
des Finances, qui terminèrent leur carrière à Montfaucon. Avant lui, Pierre de la Brosse, trésorier de
Philippe III le Hardi, y avait été pendu ; après lui,
Pierre Rémy et Macci dei Macci, respectivement trésorier et changeur de Charles IV le Bel, René de
Siran, maître de la monnaie de Philippe VI, Olivier
le Daim, favori de Louis XI, Beaune de Samblançay,

surintendant des Finances de Charles VIII, Louis XII et François Ier, y subirent le même sort. Le gibet cessa d'être utilisé à partir de 1627.

12. — Cette Eudeline, fille naturelle de Louis X, et religieuse au couvent des clarisses du faubourg Saint-Marcel de Paris, devait être autorisée, par une bulle du pape Jean XXII du 10 août 1330, à devenir, en dépit de sa naissance illégitime, abbesse de Saint-Marcel ou de tout autre monastère de clarisses.

REPERTOIRE BIOGRAPHIQUE

ANJOU (saint Louis d') (1275-1299).

Deuxième fils de Charles II d'Anjou, dit le Boiteux, et de Marie de Hongrie. Renonça au trône de Naples pour entrer dans les ordres. Evêque de Toulouse. Canonisé sous Jean XXII en 1317.

ANJOU-SICILE (Marguerite d'), comtesse de Valois (vers 1270-31 décembre 1299).

Fille de Charles II d'Anjou, dit le Boiteux, et de Marie de Hongrie. Première épouse de Charles de Valois. Mère du futur Philippe VI, roi de France.

ARTOIS (Mahaut, comtesse de Bourgogne puis d') (?-27 novembre 1329).

Fille de Robert II d'Artois. Epousa (1291) le comte palatin de Bourgogne, Othon IV (mort en 1303). Comtesse-pair d'Artois par jugement royal (1309). Mère de Jeanne de Bourgogne, épouse de Philippe de Poitiers, futur Philippe V, et de Blanche de Bourgogne, épouse de Charles de France, futur Charles IV.

ARTOIS (Robert III d') (1287-1342).

Fils de Philippe d'Artois et petit-fils de Robert II d'Artois. Comte de Beaumont-le-Roger et seigneur de Conches (1309). Epousa Jeanne de Valois, fille de Charles de Valois et de Catherine de Courtenay (1318). Pair du royaume par son comté de Beaumont-le-Roger (1328). Banni du royaume (1332), se réfugia à la cour d'Edouard III d'Angleterre. Blessé mortellement à Vannes. Enterré à Saint-Paul de Londres.

ASNIÈRES (Jean d').

Avocat au Parlement de Paris. Prononça l'acte d'accusation d'Enguerrand de Marigny.

AUCH (Arnaud d') (?-1320).

Evêque de Poitiers (1306). Créé cardinal-évêque d'Albano par Clément V en 1312. Légat du pape à Paris en 1314. Camérier du pape jusqu'en 1319, mort en Avignon.

AUNAY (Gautier d') (?-1314).

Fils aîné de Gautier d'Aunay, seigneur de Moucy-le-Neuf, du Mesnil et de Grand Moulin. Bachelier du comte de Poitiers, second fils de Philippe le Bel. Convaincu d'adultère (affaire de la tour de Nesle) avec Blanche de Bourgogne, il fut exécuté à Pontoise. Il avait épousé Agnès de Montmorency.

AUNAY (Philippe d') (?-1314).

Frère cadet du précédent. Ecuyer du comte de Valois. Amant de Marguerite de Bourgogne, épouse de Louis, dit Hutin, roi de Navarre puis de France. Exécuté en même temps que son frère à Pontoise.

BAGLIONI (Guccio) (vers 1295-1340).

Banquier siennois apparenté à la famille des Tolomei. Tenait, en 1315, comptoir de banque à Neauphle-le-Vieux. Epousa secrètement Marie de Cressay. Eut un fils, Giannino (1316), échangé au berceau avec Jean Ier le Posthume. Mort en Campanie.

BERSUMÉE (Robert).

Capitaine de la forteresse de Château-Gaillard, il fut le premier gardien de Marguerite et Blanche de Bourgogne. Il fut remplacé, après 1316, par Jean de Croisy, puis André Thiart.

BOCCACIO DA CHELLINO, OU BOCCACE.

Banquier florentin, voyageur de la compagnie des Bardi. Eut d'une maîtresse française un fils adultérin (1313) qui fut l'illustre poète Boccace, auteur du *Décaméron*.

BOURBON (Louis, sire, puis duc de) (vers 1280-1342).

Fils aîné de Robert, comte de Clermont (1256-1318), et de Béatrix de Bourgogne, fille de Jean, sire de Bourbon. Petit-fils de saint Louis. Grand chambrier de France à partir de 1312. Duc et pair en septembre 1327.

BOURDENAI (Michel de).

Légiste et conseiller de Philippe le Bel. Fut emprisonné et eut ses biens confisqués sous le règne de Louis X, mais retrouva biens et dignités sous Philippe V.

BOURGOGNE (Agnès de France, duchesse de) (vers 1268-vers 1325).

Dernière des onze enfants de saint Louis. Mariée en 1273 à Robert II de Bourgogne (mort en 1306). Mère de Hugues V et d'Eudes IV, ducs de Bourgogne, de Marguerite, épouse de Louis X Hutin, roi de Navarre puis de France, et de Jeanne, dite la Boiteuse, épouse de Philippe VI de Valois.

BOURGOGNE (Blanche de) (vers 1296-1326).

Fille cadette d'Othon IV, comte palatin de Bourgogne, et de Mahaut d'Artois. Mariée en 1307 à Charles de France, troisième fils de Philippe le Bel. Convaincue d'adultère (1314), en même temps que Marguerite de Bourgogne, fut enfermée à Château-Gaillard, puis au château de Gournay, près de Coutances. Après l'annulation de son mariage (1322), elle prit le voile à l'abbaye de Maubuisson.

BOUVILLE (Hugues III, comte de) (?-1331).

Fils de Hugues II de Bouville et de Marie de Chambly. Chambellan de Philippe le Bel. Epousa (1293) Marguerite des Barres dont il eut un fils, Charles, qui fut chambellan de Charles V et gouverneur du Dauphiné.

BRIANÇON (Geoffroy de).

Conseiller de Philippe le Bel et l'un de ses trésoriers. Fut emprisonné en même temps que Marigny sous le règne de Louis X, mais fut rétabli par Philippe V dans ses possessions et dignités.

CAETANI (Francesco) (?-mars 1317).

Neveu de Boniface VIII et créé cardinal par lui en 1295. Impliqué dans une tentative d'envoûtement du roi de France (1316). Mort en Avignon.

CHAMBLY (Egidius de) (?-janvier 1326).

Dit également Egidius de Pontoise. Cinquantième abbé de Saint-Denis.

CHARLES de France, puis CHARLES IV, roi de France (1294-1er février 1328).

Troisième fils de Philippe IV le Bel et de Jeanne de Champagne. Comte apanagiste de la Marche (1315). Succéda sous le nom de Charles IV à son frère Philippe V (1322). Marié successivement à Blanche de Bourgogne (1307), Marie de Luxembourg (1322) et Jeanne d'Evreux (1325). Mourut à Vincennes, sans héritier mâle, dernier roi de la lignée des Capétiens directs.

CHARLES-MARTEL ou CARLO-MARTELLO, roi titulaire de Hongrie (vers 1273-1296).

Fils aîné de Charles II d'Anjou, dit le Boiteux, roi de Sicile, et de Marie de Hongrie. Neveu de Ladislas IV, roi de Hongrie, et prétendant à sa succession. Roi titulaire de Hongrie de 1291 à sa mort. Père de Clémence de Hongrie, seconde épouse de Louis X, roi de France.

CHARLES-ROBERT, ou CHAROBERT, ou CAROBERTO, roi de Hongrie (vers 1290-1342).

Fils du précédent et de Clémence de Habsbourg. Frère de Clémence de Hongrie. Prétendant au trône de Hongrie à la mort de son père (1296), il ne fut reconnu roi qu'en août 1310.

CHATILLON (Gaucher V de), comte de Porcien (vers 1250-1329).

Connétable de Champagne (1284), puis de France après Courtrai (1302). Fils de Gaucher IV et d'Isabeau de Villehardouin, dite de Lizines. Assura la victoire de Mons-en-Pévèle. Fit couronner Louis Hutin roi de Navarre à Pampelune (1307). Successivement exécuteur testamentaire de Louis X, Philippe V et Charles IV. Participa à la bataille de Cassel (1328), et mourut l'année suivante ayant occupé la charge de connétable de France sous cinq rois. Il avait épousé Isabelle de Dreux, puis Mélisinde de Vergy, puis Isabeau de Rumigny.

CHÂTILLON (Guy V de), comte de SAINT-POL (?-6 avril 1317).

Second fils de Guy IV et de Mahaut de Brabant, veuve de Robert Ier d'Artois. Grand bouteiller de France de 1296 à sa mort. Epousa (1292) Marie de Bretagne, fille du duc Jean II et de Béatrix d'Angleterre, dont il eut cinq enfants. L'aînée de ses filles, Mahaut, fut la troisième épouse de Charles de Valois.

CHÂTILLON-SAINT-POL (Mahaut de), comtesse de Valois (vers 1293-1358).

Fille du précédent ; troisième épouse de Charles de Valois.

CLÉMENCE de Hongrie, reine de France (vers 1293-12 octobre 1328).

Fille de Charles-Martel d'Anjou, roi titulaire de Hongrie, et de Clémence de Habsbourg. Nièce de Charles de Valois par sa première épouse, Marguerite d'Anjou-Sicile. Sœur de Charles-Robert, ou Charobert, roi de Hongrie, et de Béatrice, épouse du dauphin Jean II. Epousa Louis X Hutin, roi de France et de Navarre, le 13 août 1315, et fut couronnée avec lui à Reims. Veuve en juin 1316, elle mit au monde en novembre 1316 un fils, Jean Ier. Mourut au Temple.

CLÉMENT V (Bertrand de Got ou Goth), pape (?-20 avril 1314).

Né à Villandraut (Gironde). Fils du chevalier Arnaud-Garsias de Got. Archevêque de Bordeaux (1300). Elu pape (1305) pour succéder à Benoît XI. Couronné à Lyon. Il fut le premier des papes d'Avignon.

COLONNA (Jacques) (?-1318).

Membre de la célèbre famille romaine des Colonna. Créé cardinal en 1278 par Nicolas III. Principal conseiller de la cour romaine sous Nicolas IV. Excommunié par Boniface VIII en 1297 et rétabli dans sa dignité de cardinal en 1306.

COLONNA (Pierre) (?-1326).

Neveu du précédent. Créé cardinal par Nicolas IV en 1288. Excommunié par Boniface VIII en 1297 et rétabli dans sa dignité de cardinal en 1306. Mort en Avignon.

COURTENAY (Catherine de), comtesse de Valois, impératrice titulaire de Constantinople (?-1307).

Seconde épouse de Charles de Valois, frère de Philippe le Bel.

Petite-fille et héritière de Baudoin, dernier empereur latin de Constantinople (1261). A sa mort, ses droits passèrent à sa fille aînée, Catherine de Valois, épouse de Philippe d'Anjou, prince d'Achaïe et de Tarente.

CRESSAY (dame Eliabel de).

Châtelaine de Cressay, près Neauphle-le-Vieux, dans la prévôté de Montfort-l'Amaury. Veuve du sire Jean de Cressay. Mère de Jean, Pierre et Marie de Cressay.

CRESSAY (Marie de) (vers 1298-1345).

Fille de dame Eliabel et du sire Jean de Cressay, chevalier. Secrètement mariée à Guccio Baglioni et mère (1316) d'un enfant échangé au berceau avec Jean Ier le Posthume, dont elle était la nourrice. Fut enterrée au couvent des Augustins, près de Cressay.

CRESSAY (Jean de) et CRESSAY (Pierre de).

Frères de la précédente. Furent tous deux armés chevaliers par Philippe VI de Valois lors de la bataille de Crécy (1346).

DUBOIS (Guillaume).

Légiste et trésorier de Philippe le Bel. Emprisonné sous le règne de Louis X, mais rétabli dans ses biens et dignités par Philippe V.

DUÈZE (Jacques), voir Jean XXII, pape.

ÉDOUARD II Plantagenet, roi d'Angleterre (1284-21 septembre 1327).

Né à Carnarvon. Fils d'Edouard Ier et d'Eléonore de Castille. Premier prince de Galles. Duc d'Aquitaine et comte de Ponthieu (1303). Armé chevalier à Westminster (1306). Roi en 1307. Epousa à Boulogne-sur-Mer, le 22 janvier 1308, Isabelle de France, fille de Philippe le Bel. Couronné à Westminster le 25 février 1308. Détrôné (1326) par une révolte baronniale conduite par sa femme, il fut emprisonné et mourut assassiné au château de Berkeley.

EUDELINE, fille naturelle de Louis X (vers 1305-?).
Religieuse au couvent du faubourg Saint-Marcel, puis abbesse des clarisses.

EVREUX (Louis de France, comte d') (1276-mai 1319).

Fils de Philippe III le Hardi et de Marie de Brabant. Demi-frère de Philippe le Bel et de Charles de Valois. Comte d'Evreux (1298). Epousa Marguerite d'Artois, sœur de Robert III d'Artois, dont il eut : Jeanne, troisième épouse de Charles IV le Bel, et Philippe, époux de Jeanne, reine de Navarre.

GOT ou GOTH (Bertrand de).

Vicomte de Lomagne et d'Auvillars. Marquis d'Ancône. Neveu et homonyme du pape Clément V. Intervint à diverses reprises dans le conclave de 1314-1316.

HIRSON ou HIREÇON (Thierry LARCHIER d') (vers 1270-17 novembre 1328).

D'abord petit clerc de Robert II d'Artois, il accompagna Nogaret à Anagni et fut utilisé par Philippe le Bel pour plusieurs missions. Chanoine d'Arras (1299). Chancelier de Mahaut d'Artois (1303). Evêque d'Arras (avril 1328).

HIRSON (ou HIREÇON) (Béatrice de).

Demoiselle de parage de la comtesse Mahaut d'Artois ; nièce de son chancelier, Thierry d'Hirson.

ISABELLE de France, reine d'Angleterre (1292-23 août 1358).

Fille de Philippe le Bel et de Jeanne de Champagne. Sœur des rois Louis X, Philippe V et Charles IV. Epousa Edouard II d'Angleterre (1308). Prit la tête (1325) avec Roger Mortimer de la révolte des barons anglais qui amena la déposition de son mari. Surnommée « la louve de France », gouverna de 1326 à 1328 au nom de son fils Edouard III. Exilée de la cour (1330). Morte au château de Hertford.

JEAN XXII (Jacques Duèze), pape (1244-décembre 1334).

Fils d'un bourgeois de Cahors. Fit ses études à Cahors et Montpellier. Archiprêtre de Saint-André de Cahors. Chanoine de Saint-Front de Périgueux et d'Albi. Archiprêtre de Sarlat. En 1289, il partit pour Naples où il devint rapidement familier du roi Charles II d'Anjou qui en fit le secrétaire des conseils secrets, puis son chancelier. Evêque de Fréjus (1300), puis d'Avignon (1310). Secrétaire du concile de Vienne (1311). Cardinal évêque de Porto (1312). Elu pape en août 1316, il prit le nom de Jean XXII. Couronné à Lyon en septembre 1316. Mort en Avignon.

JEANNE de Bourgogne, comtesse de Poitiers, puis reine de France (vers 1293-21 janvier 1330).

Fille aînée d'Othon IV, comte palatin de Bourgogne, et de Mahaut d'Artois. Mariée en 1307 à Philippe de Poitiers, second fils de Philippe le Bel. Convaincue de complicité dans les adultères de sa sœur et de sa belle-sœur (1314), elle fut enfermée à Dourdan, puis libérée en 1315. Mère de trois filles : Jeanne, Marguerite et Isabelle, qui épousèrent respectivement le duc de Bourgogne, le comte de Flandre et le dauphin de Viennois.

JEANNE de France, reine de Navarre (vers 1311-octobre 1349).

Fille de Louis de Navarre, futur Louis X Hutin, et de Marguerite de Bourgogne. Présumée bâtarde. Ecartée de la succession au trône de France, elle hérita de la Navarre. Mariée à Philippe, comte d'Evreux. Mère de Charles le Mauvais, roi de Navarre, et de Blanche, seconde épouse de Philippe VI de Valois, roi de France.

JOINVILLE (Jean, sire de) (1224-24 décembre 1317).

Sénéchal héréditaire de Champagne. Accompagna Louis IX à la 7e croisade, et partagea sa captivité. Rédigea à quatre-vingts ans son *Histoire de Saint Louis* pour laquelle il demeure parmi les grands chroniqueurs.

LATILLE (Pierre de) (?-15 mars 1328).

Evêque de Châlons (1313). Membre de la Chambre aux Comptes. Garde du sceau royal à la mort de Nogaret. Incarcéré par Louis X (1315) et libéré par Philippe V (1317), il revint à l'évêché de Châlons.

LE LOQUETIER (Nicole).

Légiste et conseiller de Philippe le Bel ; emprisonné par Louis X, rétabli dans ses biens et dignités par Philippe V.

LOUIS X, dit Hutin, roi de France et de Navarre (octobre 1289-5 juin 1316).

Fils de Philippe IV le Bel et de Jeanne de Champagne. Frère des rois Philippe V et Charles IV, et d'Isabelle, reine d'Angleterre. Couronné roi de Navarre à Pampelune en 1307. Roi de France (1314). Epousa (1305) Marguerite de Bourgogne dont il eut une fille, Jeanne, née vers 1311. Après le scandale de la tour de Nesle et la mort de Marguerite, se remaria (août 1315) à Clémence de Hongrie. Couronné à Reims (août 1315). Mort à Vincennes. Son fils, Jean Ier le Posthume, naquit cinq mois plus tard (novembre 1316).

MARGUERITE de Bourgogne, reine de Navarre (vers 1293-1315).

Fille de Robert II, duc de Bourgogne, et d'Agnès de France. Mariée (1305) à Louis, roi de Navarre, fils aîné de Philippe le Bel, futur Louis X, dont elle eut une fille, Jeanne. Convaincue d'adultère (affaire de la tour de Nesle, 1314), elle fut enfermée à Château-Gaillard où elle mourut assassinée.

MARIE de Hongrie, reine de Naples (vers 1245-1325).

Fille d'Etienne, roi de Hongrie, sœur et héritière de Ladislas IV, roi de Hongrie. Epousa Charles II d'Anjou, dit le Boiteux, roi de Naples et Sicile, dont elle eut treize enfants.

MARIGNY (Enguerrand LE PORTIER de) (vers 1265-30 avril 1315).

Né à Lyons-la-Forêt. Marié en premières noces à Jeanne de Saint-Martin, en secondes noces à Alips de Mons. D'abord écuyer du comte de Bouville, puis attaché à la maison de la reine Jeanne, épouse de Philippe le Bel, et successivement garde du château d'Issoudun (1298), chambellan (1304) ; fait chevalier et comte de Longueville, intendant des finances et des bâtiments, capitaine du Louvre, coadjuteur au gouvernement et recteur du royaume pendant la dernière partie du règne de Philippe le Bel. Après la mort de ce dernier, il fut accusé de détournements, condamné, et pendu à Montfaucon. Réhabilité en 1317 par Philippe V et enterré dans l'église des Chartreux, puis transféré à la collégiale d'Ecouis qu'il avait fondée.

MARIGNY (Jean, ou Philippe, ou Guillaume de) (?-1325).

Frère cadet du précédent. Secrétaire du roi en 1301. Archevêque de Sens (1309). Fit partie du tribunal qui condamna à mort son frère Enguerrand. Un troisième frère Marigny, également prénommé Jean, et comte-évêque de Beauvais depuis 1312, siégea dans les mêmes commissions judiciaires, et poursuivit sa carrière jusqu'en 1350.

MARIGNY (Louis de), seigneur de Mainneville et de Boisroger.

Fils aîné d'Enguerrand de Marigny. Marié en 1309 à Roberte de Beaumetz.

Mercœur (Béraud de).

Seigneur du Gévaudan. Ambassadeur de Philippe le Bel auprès du pape Benoît XI en 1304. Se brouilla avec le roi qui ordonna une enquête de police sur ses terres (1309). Rentré au Conseil royal à l'avènement de Louis X, en 1314, en fut éliminé par Philippe V en 1318.

Meudon (Henriet de).

Maître de la vénerie de Louis X en 1313 et 1315. Reçut une partie des biens de Marigny après la condamnation de ce dernier.

Molay (Jacques de) (vers 1244-18 mars 1314).

Né à Molay (Haute-Saône). Entra dans l'Ordre des Templiers à Beaune (1265). Partit pour la Terre Sainte. Elu grand-maître de l'Ordre (1295). Arrêté en octobre 1307, fut condamné et brûlé.

Mornay (Etienne de) (?-31 août 1332).

Neveu de Pierre de Mornay, évêque d'Orléans et d'Auxerre. Chancelier de Charles de Valois, puis chancelier de France à partir de janvier 1315. Eloigné du gouvernement sous le règne de Philippe V, il entra à la Chambre des Comptes et au Parlement sous Charles IV.

Nevers (Louis de) (?-1322).

Fils de Robert de Béthune, comte de Flandre, et de Yolande de Bourgogne. Comte de Nevers (1280). Comte de Rethel par son mariage avec Jeanne de Rethel.

Nogaret (Guillaume de) (vers 1265-mai 1314).

Né à Saint-Félix-de-Caraman, dans le diocèse de Toulouse. Elève de Pierre Flotte et de Gilles Aycelin. Enseigna le droit à Montpellier (1291) ; juge-royal de la sénéchaussée de Beaucaire (1295) ; chevalier (1299). Se rendit célèbre par son action dans les différends entre la couronne de France et le Saint-Siège. Conduisit l'expédition d'Anagni contre Boniface VIII (1303). Garde des Sceaux de septembre 1307 à sa mort, il instruisit le procès des Templiers.

Oderisi (Roberto).

Peintre napolitain. Elève de Giotto pendant le séjour de celui-ci à Naples, subit également l'influence de Simone de Martino. Chef de l'école napolitaine de la seconde moitié du XIVe siècle.

Son œuvre la plus importante : les fresques de l'Incoronata, à Naples.

ORSINI (Napoléon), dit des URSINS (?-1342).

Créé cardinal par Nicolas IV en 1288.

PAREILLES (Alain de).

Capitaine des archers sous Philippe le Bel.

PHILIPPE IV, dit le Bel, roi de France (1268-29 novembre 1314).

Né à Fontainebleau. Fils de Philippe III le Hardi et d'Isabelle d'Aragon. Epousa (1284) Jeanne de Champagne, reine de Navarre. Père des rois Louis X, Philippe V et Charles IV, et d'Isabelle de France, reine d'Angleterre. Reconnu roi à Perpignan (1285) et couronné à Reims (6 février 1286). Mort à Fontainebleau et enterré à Saint-Denis.

PHILIPPE, comte de Poitiers, puis PHILIPPE V, dit le Long, roi de France (1291-janvier 1322).

Fils de Philippe IV le Bel et de Jeanne de Champagne. Frère des rois Louis X, Charles IV et d'Isabelle d'Angleterre. Comte palatin de Bourgogne, sire de Salins, par son mariage avec Jeanne de Bourgogne (1307). Comte apanagiste de Poitiers (1311). Pair de France (1315). Régent à la mort de Louis X, puis roi à la mort du fils posthume de celui-ci (novembre 1316). Mort à Longchamp, sans héritier mâle. Enterré à Saint-Denis.

PHILIPPE, comte de Valois, puis PHILIPPE VI, roi de France (1293-22 août 1350).

Fils aîné de Charles de Valois et de sa première épouse Marguerite d'Anjou-Sicile. Neveu de Philippe IV le Bel et cousin germain de Louis X, Philippe V et Charles IV. Devint régent du royaume à la mort de Charles IV le Bel, puis roi à la naissance de la fille posthume de ce dernier (avril 1328). Sacré à Reims, le 29 mai 1328. Son accession au trône, contestée par l'Angleterre, fut l'origine de la seconde guerre de Cent Ans. Epousa en premières noces (1313) Jeanne de Bourgogne, dite la Boiteuse, sœur de Marguerite, et qui mourut en 1348 ; en secondes noces (1349) Blanche de Navarre, petite-fille de Louis X et de Marguerite.

PRESLES (Raoul Ier de) ou de PRAYERES (?-1331).

Seigneur de Lizy-sur-Ourcq. Avocat. Secrétaire de Philippe le

Bel (1311). Emprisonné à la mort de ce dernier, mais rentré en grâce dès la fin du règne de Louis X. Gardien du conclave de Lyon en 1316. Anobli par Philippe V, chevalier poursuivant de ce roi et membre de son Conseil. Fonda le collège de Presles.

ROBERT, roi de Naples (vers 1278-1344).

Troisième fils de Charles II d'Anjou, dit le Boiteux, et de Marie de Hongrie. Duc de Calabre en 1296. Prince de Salerne (1304). Vicaire général du royaume de Sicile (1296). Désigné comme héritier du royaume de Naples (1297). Roi en 1309. Couronné en Avignon par le pape Clément V. Prince érudit, poète et astrologue, il épousa en premières noces Yolande (ou Violante) d'Aragon, morte en 1302 ; puis Sancia, fille du roi de Majorque (1304).

TOLOMEI (Spinello).

Chef en France de la compagnie siennoise des Tolomei, fondée au XIIe siècle par Tolomeo Tolomei et rapidement enrichie par le commerce international et le contrôle des mines d'argent en Toscane. Il existe toujours à Sienne un palais Tolomei.

TRYE (Mathieu de).

Seigneur de Fontenay et de Plainville-en-Vexin. Grand panetier (1298) puis chambellan de Louis Hutin, et grand chambellan de France à partir de 1314.

VALOIS (Charles de) (12 mars 1270-décembre 1325).

Fils de Philippe III le Hardi et de sa première épouse, Isabelle d'Aragon. Frère de Philippe IV le Bel. Armé chevalier à quatorze ans. Investi du royaume d'Aragon par le légat du pape, la même année, il n'en put jamais occuper le trône et renonça au titre en 1295. Comte apanagiste d'Anjou, du Maine et du Perche (mars 1290) par son premier mariage avec Marguerite d'Anjou-Sicile ; empereur titulaire de Constantinople par son second mariage (janvier 1301) avec Catherine de Courtenay ; fut créé comte de Romagne par le pape Boniface VIII. Épousa en troisièmes noces Mahaut de Châtillon-Saint-Pol. De ses trois mariages, il eut de très nombreux enfants ; son fils aîné fut Philippe VI, premier roi de la lignée Valois. Il mena campagne en Italie pour le compte du pape en 1301, commanda deux expéditions en Aquitaine (1297 et 1324) et fut candidat à l'empire d'Allemagne. Mort à Nogent-le-Roi et enterré à l'église des Jacobins à Paris.

ŒUVRES DE MAURICE DRUON

A la Librairie Plon :

LES GRANDES FAMILLES
I. — LES GRANDES FAMILLES.
II. — LA CHUTE DES CORPS.
III. — RENDEZ-VOUS AUX ENFERS.

LA VOLUPTÉ D'ÊTRE.

LES ROIS MAUDITS
I. — LE ROI DE FER.
II. — LA REINE ÉTRANGLÉE.
III. — LES POISONS DE LA COURONNE.
IV. — LA LOI DES MALES.
V. — LA LOUVE DE FRANCE.
VI. — LE LIS ET LE LION.
VII. — QUAND UN ROI PERD LA FRANCE.

LES MÉMOIRES DE ZEUS
I. — L'AUBE DES DIEUX.
II. — LES JOURS DES HOMMES.

ALEXANDRE LE GRAND.

LE BONHEUR DES UNS...
TISTOU LES POUCES VERTS.
LA DERNIÈRE BRIGADE.

L'AVENIR EN DÉSARROI (essai).
DISCOURS DE RÉCEPTION A L'ACADÉMIE FRANÇAISE.
LETTRES D'UN EUROPÉEN (essai).
UNE ÉGLISE QUI SE TROMPE DE SIÈCLE.
LA PAROLE ET LE POUVOIR (essai).

IMPRIMÉ EN FRANCE PAR BRODARD ET TAUPIN
7, bd Romain-Rolland - Montrouge - Usine de La Flèche.
LIBRAIRIE GÉNÉRALE FRANÇAISE - 14, rue de l'Ancienne-Comédie - Paris.
ISBN : 2 - 253 - 00306 - 9